Maria Evers · Christoph Reuter

Spielend Theorie lernen

- Noten lesen und schreiben
- Umfangreiche Infos über die Violine
- Musikalische und rhythmische Grundbegriffe

Mit Erklärungen und über 175 Trainingsfragen rund um die Violine

N 2799

Titelgestaltung: MG Mönch GrafikDesign, www.mgdesign.de
Zeichnungen: Claudia Ellinger, www.ellinger-design.de

heinrichshofen & noetzel

Dieses Buch gehört:

. . . .

Gestaltung: Christoph Lipport
Notentypographie: Bettina Wolerts
Zeichnungen: Claudia Ellinger
www.ellinger-design.de

N 2799
ISMN 979-0-2044-2799-4
ISBN 978-3-938202-71-5

Bevor es losgeht

Dies ist kein gewöhnliches Theoriebuch, sondern eines mit vielen Aufgaben zum Ausfüllen, Raten, Ankreuzen und Zuordnen. Alles Dinge, die Kindern und selbst Erwachsenen Spaß machen und das Lernen erleichtern. Wenn du gerade anfängst, Violine zu lernen, wirst du vieles wissen wollen: über das Instrument, über Noten und Zeichen, den Rhythmus und Melodien. Dann bist du hier genau richtig. Denn alle interessanten Themen und Begriffe aus der Musik, die ein Violinspieler wissen sollte, kannst du mit diesem Buch leicht lernen und üben.

Und so arbeitest du mit diesem Buch:

Zuerst schaust du dir eines der grau gedruckten Wissenskästchen an. Hier wird auf Schaubildern gezeigt, was es zu lernen gibt. Die zugehörigen Texte sind kurz und leicht verständlich. Ab und zu musst du vielleicht jemanden um Hilfe bitten, wenn du etwas nicht ganz verstehst. Frage dann deinen Violinlehrer oder deine Eltern. Kommen im Unterricht Begriffe vor, die du gerne wissen möchtest, kannst du mit deinem Lehrer auch einzelne Wissenskästchen extra behandeln. Mit Hilfe des Stichwortverzeichnisses am Ende des Buches findest du schnell die richtige Seite.

Löse als nächstes die Aufgaben, die direkt unter dem Wissenskästchen stehen. Vielleicht wirst du dann „aha" sagen, denn die Aufgaben sind extra leicht und eigentlich nur dazu da, dir dabei zu helfen, alles zu verstehen, nichts zu übersehen und schon ein wenig zu üben. Ein Tipp: Decke das jeweilige Wissenskästchen mit einem Blatt Papier ab, wenn du die zugehörigen Aufgaben löst. Dann bist du sicher, dass du alles behalten hast.

Wenn du alle Wissenskästchen eines Kapitels durchgearbeitet hast, kannst du dich an die bunt gemischten Aufgaben des Wissenstrainings machen. Die meisten sind mit wenigen Strichen zu lösen, manche sind etwas kniffliger. Und wenn du mal nicht mehr weiter weißt, blätterst du einfach zu den entsprechenden Erklärungen zurück.

Hier noch ein Tipp:

Trage die Lösungen zuerst mit Beistift ein. Du kannst dann leicht eine Lösung ausbessern, wenn du dich einmal geirrt hast.

Und jetzt viel Spaß beim Schauen, Lesen und Üben!

Maria Evers und Christoph Reuter

Inhalt

1. Teil

pp p mp mf f ff *cresc., decresc., dim.*

:‖ Klammer 1. und 2. 𝄐 >

pizz., arco, staccato, spiccato, legato, portato

2. Teil

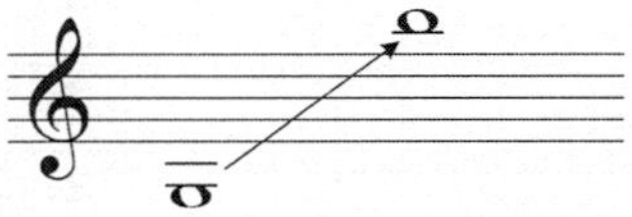

C-Dur, a-Moll, G-Dur, e-Moll, F-Dur, d-Moll

3. Teil

D. S. al Fine, D. C. al Fine
D. S. al 𝄌 – 𝄌, D. C. al 𝄌 – 𝄌

8va, 8vb, rit., acc., a tempo, ritenuto, stringendo

Teil 1

Streichinstrumente

Die Streichinstrumente gehören zur Familie der Saiteninstrumente. Die bekanntesten Streichinstrumente sind:

Violine

Viola

Kontrabass

Violoncello

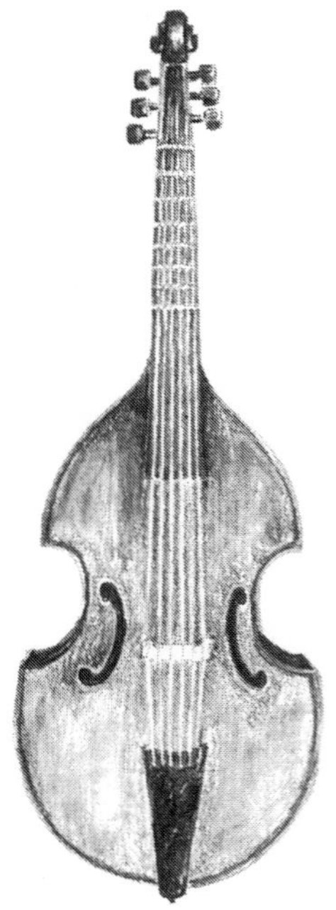
Gambe

Ab dem frühen Mittelalter kommen Streichinstrumente in Europa vor. Die um 1500 entstandenen Grundformen der Instrumente sind im Wesentlichen bis heute unverändert geblieben.

Violine

Die ersten Violinen, umgangssprachlich auch Geige oder Fidel genannt, wurden um 1550 in Italien gebaut. Die berühmtesten Geigenbauer lebten in der norditalienischen Stadt Cremona. Zu ihnen zählen Andrea Amati (1505–1577), Antonio Stradivari (1644–1737) und Andrea Guarneri (1623–1698). Viele dieser alten Instrumente werden heute noch gespielt und sind sehr wertvoll und einmalig im Klang. – Die Violine kann man vielseitig einsetzen: beim Solospiel, im Symphonieorchester und in der Kammermusik. Man hört sie nicht nur in der Klassik, sondern auch in der Volks-, Jazz-, Rock- und Popmusik.

Bestandteile der Violine

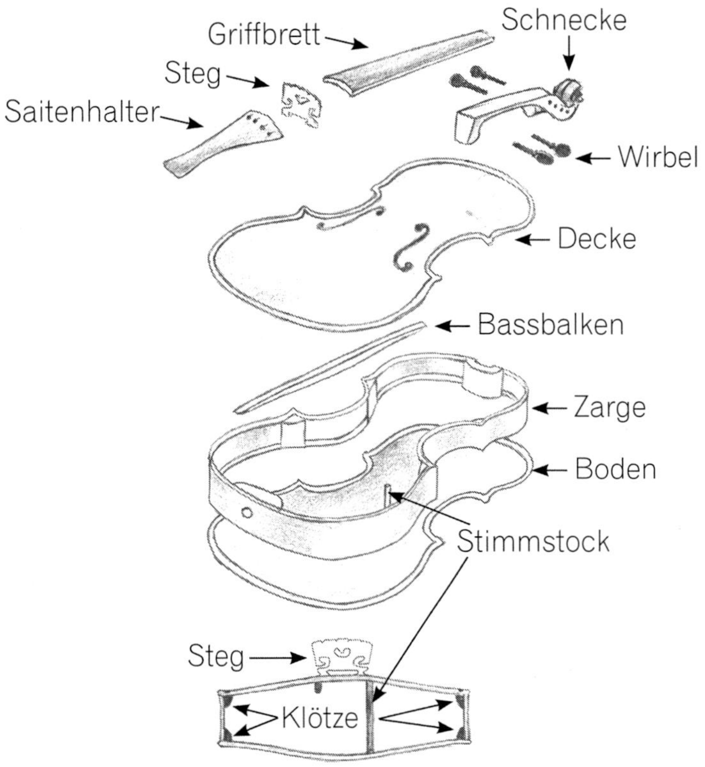

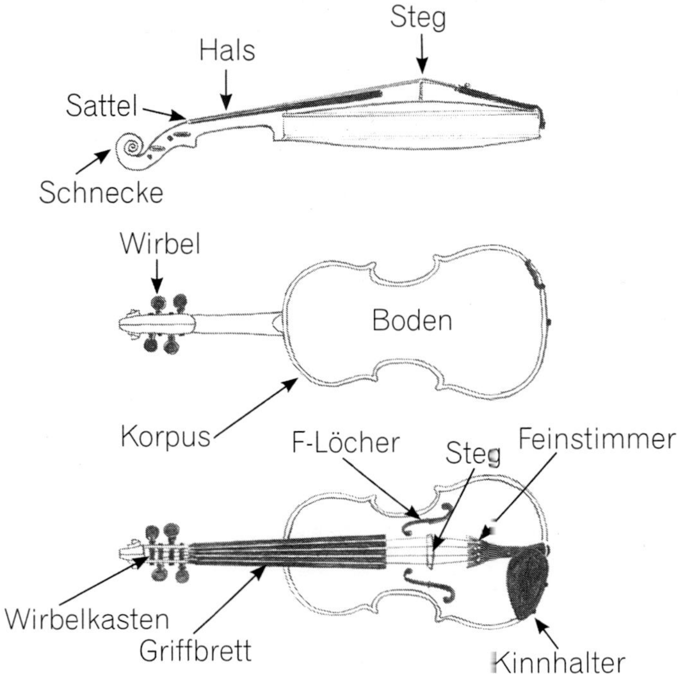

Tonumfang

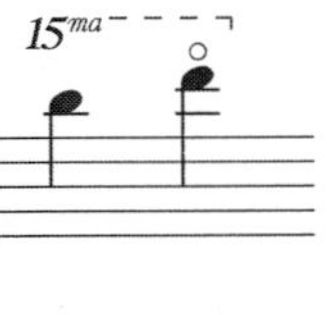

Geigenhaltung

Die Geige wird auf die Schulter/das Schlüsselbein gelegt. Damit die Geige eine gute Verbindung zum Spieler hat, kann ein Tuch, Kissen oder eine Schulterstütze (die an die Unterseite der Geige angebracht wird) verwendet werden. Die linke Hand bringt die Geige in eine nahezu waagrechte Position.

Schulterstütze

Übeplatz zuhause

Folgendes ist zu beachten:

Die Einrichtung
- Instrument, Noten, Notenständer, Bleistift, Radiergummi
- Instrument nicht in Heizungsnähe legen oder direkter Sonneneinstrahlung aussetzen.
- Das Instrument sollte griffbereit sein, aber geschützt im Geigenkasten aufbewahrt werden.

Der Raum
- Der Raum sollte ruhig sein, du musst dich dort wohl fühlen.
- In einem gut gelüfteten Raum mit richtiger Temperatur kannst du dich besser konzentrieren.
- Sorge für genügend Bewegungsfreiheit und gute Lichtverhältnisse, so dass keine Schatten auf den Noten erscheinen.

Üben

- Übe regelmäßig, entspannt und ohne Zeitdruck.
- Am besten immer zur gleichen Tageszeit und mit gleichbleibender Dauer.
- Am Anfang täglich ca. 10 Minuten, später je nach Schwierigkeitsgrad 30 bis 60 Minuten.
- Teile schwere Stellen in kleinere Einheiten auf und übe diese häufiger als die leichten Stellen.
- Übe im Stehen oder auch mal im Sitzen.
- Unterscheide genau zwischen üben und spielen:
  „Üben" heißt konzentriert an den Aufgaben arbeiten, um voran zu kommen.
  „Spielen" bedeutet genießen, was man schon kann.

Reinigung und Pflege

Instrument
Nach jedem Spiel die Schweißspuren und Kolophoniumrückstände mit einem Baumwolltuch vom Instrument abwischen. Ab und zu mit einem speziellen Reiniger den Lack des Instrumentes reinigen.

Saiten
Mit einem Saitenreiniger (Alkohol) gelegentlich die Saiten säubern. Achte darauf, dass keine Tropfen der Flüssigkeit auf den Lack spritzen.

Bogen
Die Bogenhaare einmal pro Woche mit Kolophonium einreiben. Nach dem Spiel die Bogenhaare mit der Bogenschraube wieder entspannen. Mit einem Tuch die Kolophoniumreste von der Bogenstange abwischen.

Notenliniensystem

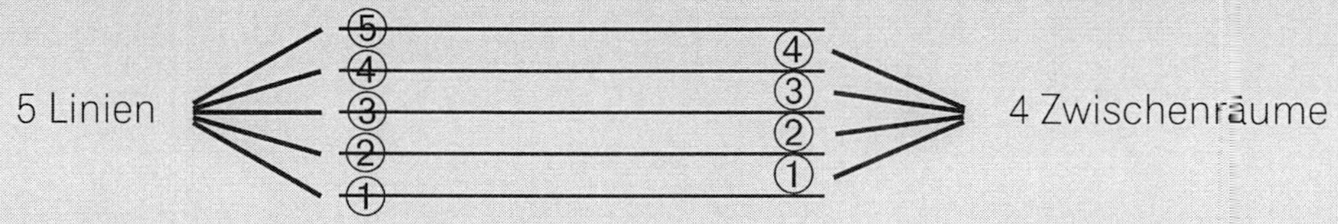

Linien und Zwischenräume werden von unten nach oben gezählt.

1 Das Notenliniensystem hat ____ Linien und ____ Zwischenräume.

2 Nummeriere die Linien.

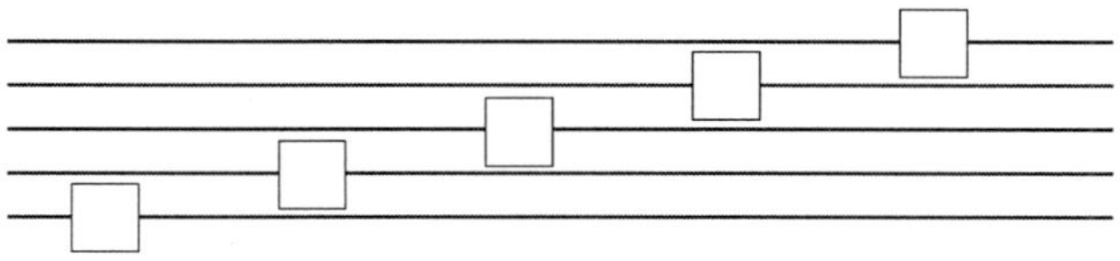

Nummeriere die Zwischenräume.

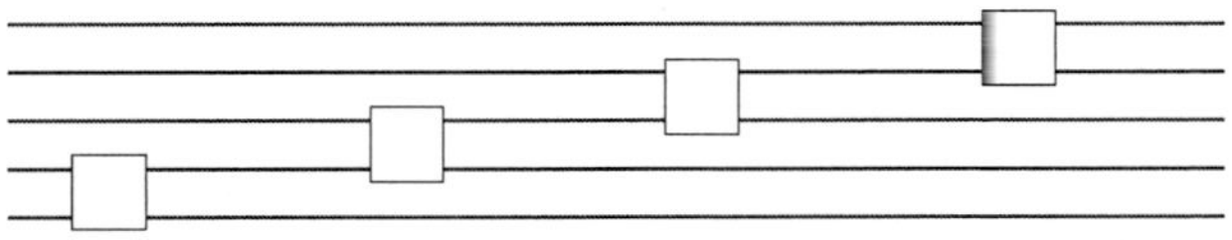

3 Zeichne mit Bleistift und Lineal ein Notenliniensystem.

Noten im Notenliniensystem

Noten können auf oder zwischen den Linien liegen.

Noten auf den Linien

Noten zwischen den Linien

4 Schreibe auf jede Linie eine Note.

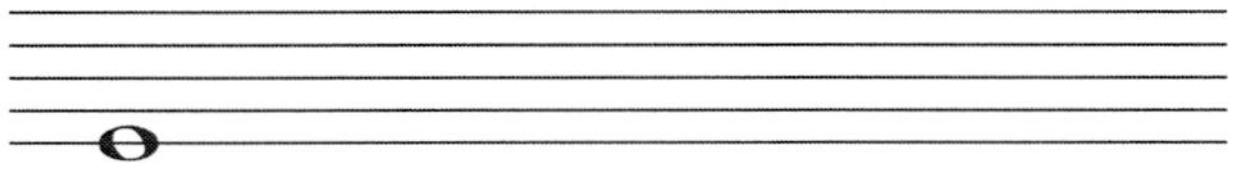

Schreibe in jeden Zwischenraum eine Note.

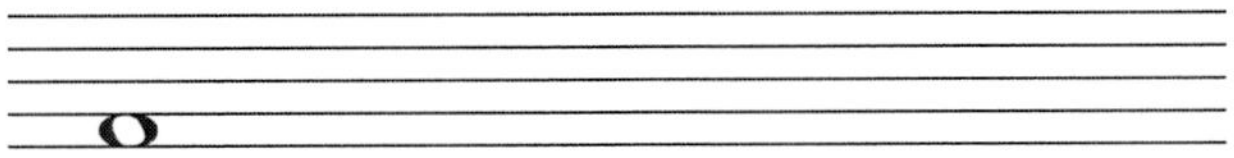

5 Schreibe die entsprechenden Noten.

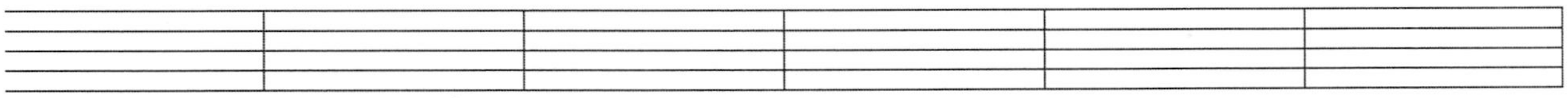

Eine Note auf der 3. Linie	Eine Note im 2. Zwischenraum	Eine Note im 4. Zwischenraum	Eine Note auf der 2. Linie	Eine Note auf der 4. Linie	Eine Note im 1. Zwischenraum

Violinschlüssel

2. Linie →

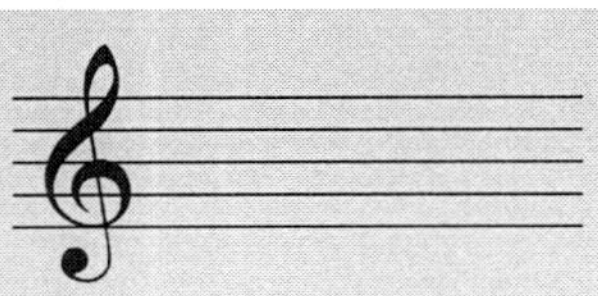

Den Violinschlüssel nennt man auch G-Schlüssel.
Er zeigt an, dass die Note auf der 2. Linie g heißt.

6 Welche Linie umschließt der Violinschlüssel? ____ Linie.

7 Übe den Violinschlüssel nach folgenden Schritten und zeichne ihn jeweils 3x.

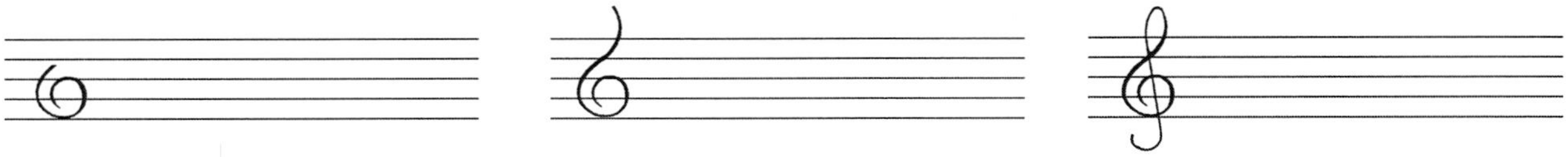

Notennamen

Mit Ausnahme des Tones H stimmen alle Töne mit dem Alphabet überein.

vom Alphabet	A	B	C	D	E	F	G
zu den Notennamen	A	H	C	D	E	F	G

Da mit diesen sieben Buchstaben alle Töne bezeichnet werden, schreibt man gleichnamige Töne je nach Lage unterschiedlich:

c^1 d^1 e^1 f^1 g^1 a^1 h^1 c^2 d^2 e^2 f^2 g^2 a^2 h^2 c^3 d^3 e^3 f^3 g^3 a^3 h^3

8 Kreise die sieben Notennamen ein.

g

c i l n

e

a

p f d

h

s

o

9 Schreibe die sieben Notennamen.

c _ _ _ _ _ h

Namen der Saiten

Jede Saite hat einen Namen.

10 Erfinde Sätze mit den Anfangsbuchstaben der Saiten.
Beginne bei der G-Saite (tiefste Saite).

G ______________ D ______________ A ______________ E ______________

11 Wie heißen die Saiten?

____

____

____

____

Noten der leeren Saiten im Violinschlüssel

g d^1 a^1 e^2

12 Wie heißen die Noten?

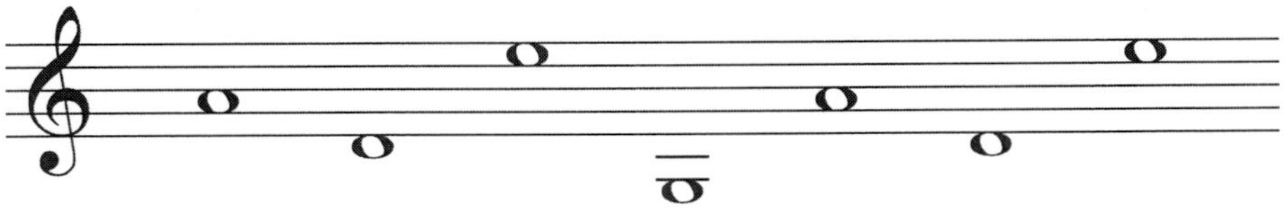

____ ____ ____ ____ ____ ____ ____

13 Schreibe die Noten.

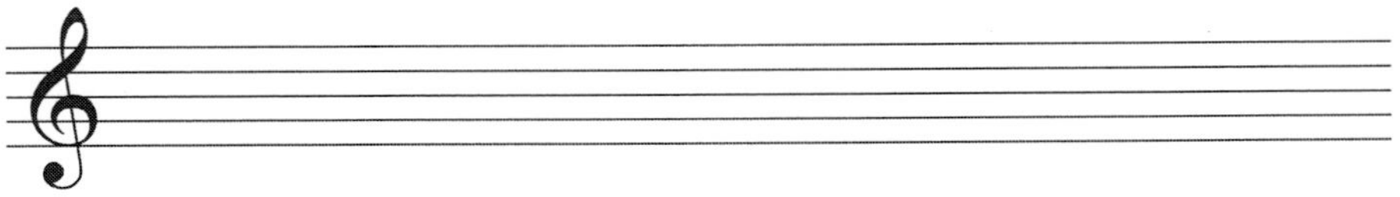

g a^1 e^2 d^1 g e^2

Artikulation

Staccato – Spiccato

Spiele kurz.

Punkt über oder unter dem Notenkopf

Legato

Spiele gebunden.

Bogen über oder unter den Noten

Portato

Spiele getragen, die Töne voneinander abgesetzt.

Strich über oder unter dem Notenkopf

Akzent

Spiele lauter bzw. betonter.

Akzent über oder unter dem Notenkopf

14 Wie spielt man folgende Noten (kurz oder gebunden)?

Spiele: *kurz* ____________ ____________ ____________

15 Trage die Zeichen für staccato, legato oder portato ein.

16 Schreibe über oder unter jede Note einen Akzent.

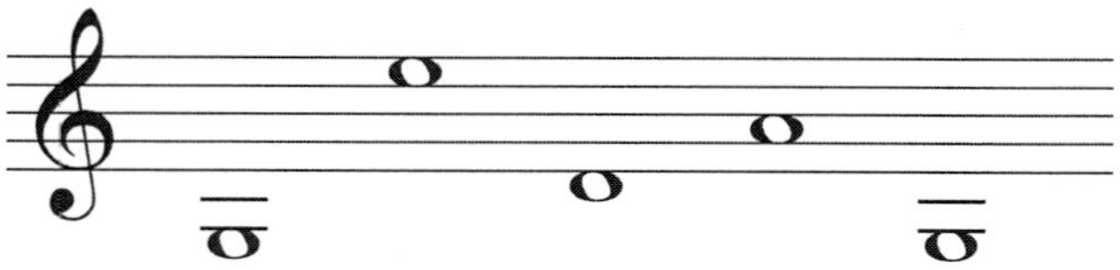

Fermate 𝄐

Die Fermate 𝄐 ist ein Haltezeichen. Steht dieses Zeichen über oder unter einer Note, wird dieser Ton länger als sein eigentlicher Notenwert ausgehalten.

17 Was bedeutet Fermate? ◯ Haltezeichen ◯ Tomate ◯ Tunnel

18 Male die Fermate fünfmal. ___ ___ ___ ___ ___

Fingersatz

Die Zahlen über oder unter den Noten zeigen an, mit welchem Finger der linken Hand gegriffen wird:

– Die 0 steht für leere Saite (kein Finger greift).

19 Kreuze an: Die Zahlen über oder unter den Noten zeigen an,

○ wie oft man den Ton spielen soll,

○ mit welchem Finger gegriffen wird..

Hohe Töne – tiefe Töne

Durch das Greifen mit den Fingern wird die Saite verkürzt – die Töne werden höher.

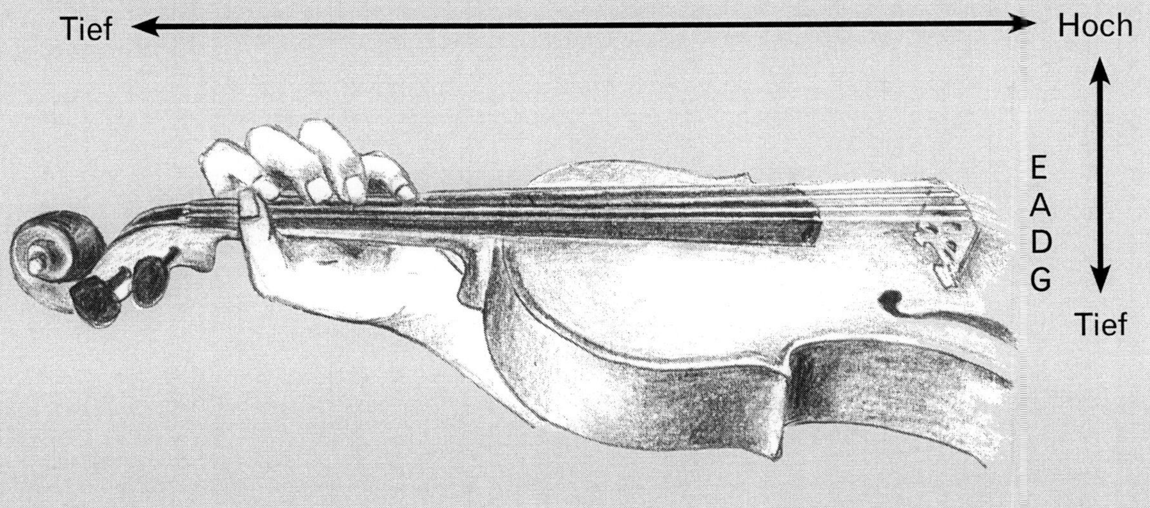

Je dicker die Saite, desto tiefer ihr Klang. Die G-Saite ist die tiefste Saite der Violine.

20 Kreuze an: Durch das Verkürzen einer Saite werden die Töne

○ höher ○ tiefer.

21 Welche Saite klingt höher?

○ dicke Saite ○ dünne Saite

Stimmen der Violine

Die vier Saiten werden vor dem Spielen gestimmt. Man stimmt sie grob an den Wirbeln. Mit den Schrauben der Feinstimmer lässt sich die Tonhöhe nochmals genau einstellen. Zuerst wird die A-Saite (leere A-Saite, Stimmton, 0) gestimmt. Nach ihrer Stimmung richten sich alle anderen leeren Saiten (Reihenfolge ADGE).
Eine Violine kann sich durch das Spielen, Klimaunterschiede (Temperatur, Feuchtigkeit), sowie durch versehentliches Verdrehen der Stimmwirbel verstimmen.

Hilfsmittel zum Stimmen der Violine:

Stimmgabel
Gibt den Kammerton „a“ an, nach dem alle Instrumente gestimmt werden.
Sehr gutes Hilfsmittel, wenn man gut hört!

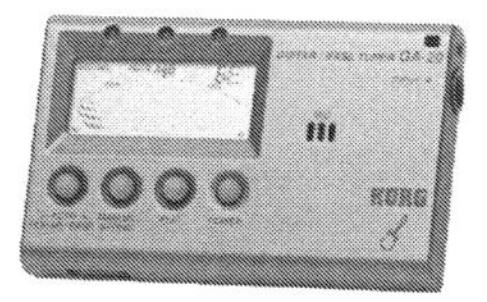

Elektronisches Stimmgerät
Es eignet sich auch sehr gut als Kontrollgerät, um das Stimmen zu lernen.
Diverse Apps simulieren ein solches Gerät.

22 Wie heißt der Stimmton? __________

Bogen

Der Bogen bringt die Saiten zum Schwingen. Er wird mit der rechten Hand gehalten und zwischen Griffbrett und Steg gerade über die Saiten geführt. Die Tonqualität, der Klang der Töne kann durch unterschiedliche Geschwindigkeit, Druck und Kontaktstellen (Griffbrett – Steg) geändert werden. Es wird unterschieden zwischen: Ganzer Bogen = GB, Halber Bogen = HB, obere Hälfte = o. H., untere Hälfte = u. H., Mitte = M, Frosch = Fr. und Spitze = Sp.
Der Bogen ist aus Fernambukholz oder Carbon, ist 75 cm lang und ca. 60 g schwer.

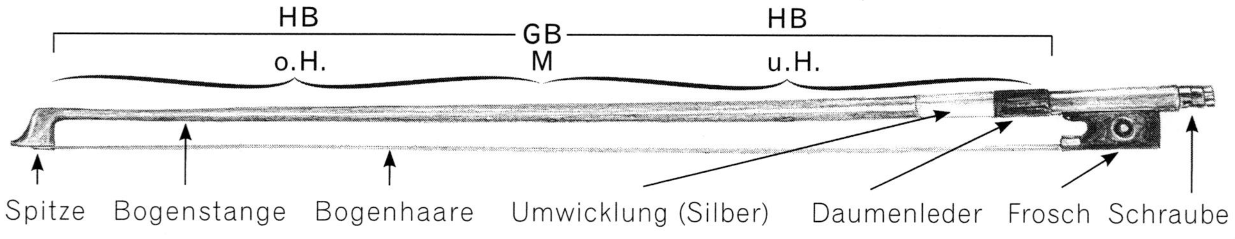

Vor dem Spielen werden die Bogenhaare (sie bestehen aus Pferdehaaren) mit der Bogenschraube gespannt und nach dem Spiel entspannt.
Die Bogenhaare sollen ab und zu mit Kolophonium (Harz aus Pinien) eingerieben werden. Durch das Kolophonium werden die Saiten leichter zum Vibrieren gebracht.

Der Bogen kann in zwei Richtungen über die Saiten gestrichen werden.

⊓ Abstrich = Ziehen (Fr.–Sp.)
V Aufstrich = Schieben (Sp.–Fr.)

23 Kreuze die Bestandteile des Bogens an: ○ Frosch ○ Spitze ○ Schnecke ○ Speer

Spieltechniken auf einem Streichinstrument

Arco = Streichen
Mit dem Bogen wird über die Saiten zwischen Steg und Griffbrett gestrichen.

Pizzicato = Zupfen
Die Saiten werden mit den Fingern der rechten oder linken Hand gezupft.

24 Verbinde:

Pizzicato — Streichen

Arco — Zupfen

Mensur

Die Mensur (lat. Mensura = Maß) gibt die „klingende Saitenlänge" der leeren Saite an. Sie entspricht der Länge vom Steg bis zum Sattel in cm (4/4 Geige, ganze Geige ca. 33 cm). Sie ist unterschiedlich, um den verschiedenen Körpergrößen der Violinspieler gerecht zu werden.

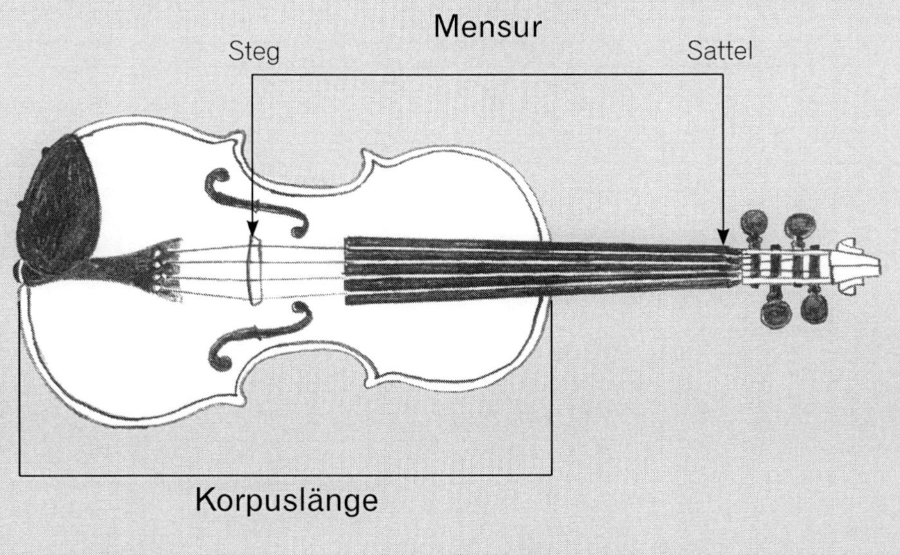

Geigengrößen	1/16	1/8	1/4	1/2	3/4	7/8	4/4 (ganze Geige)
Korpuslänge	230	255	280	320	335	345	360
Alter (Jahre)	Ab 3	Ab 4	Ab 6	Ab 6	Ab 7	Ab 9	Ab 9

25 Was gibt die Mensur an?

○ Schuhgröße ○ klingende Saitenlänge ○ Körpergröße ○ Saitenzahl

Note – Notenwerte

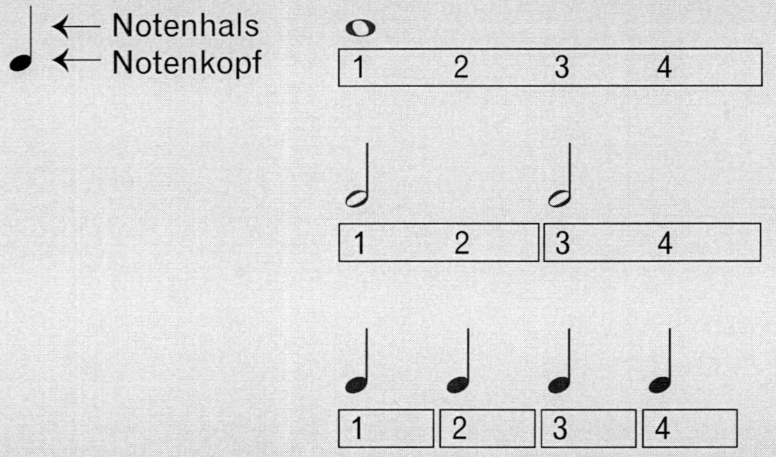

ganze Note = 4 Schläge

halbe Note = 2 Schläge

Viertelnote = 1 Schlag

26 Wie viele Schläge hat diese Note?

27 Ziehe einen Kreis um die Viertelnoten.

28 Zähle die Anzahl der Schläge zusammen.

29 Schreibe je 5x.

30 Ziehe einen Kreis um die halben Noten.

Pausenzeichen

Für jeden Notenwert gibt es ein Pausenzeichen.

ganze Note	𝅝	ganze Pause (hängt an der vierten Linie)		4 Schläge
halbe Note	𝅗𝅥	halbe Pause (liegt auf der dritten Linie)		2 Schläge
Viertelnote	♩	Viertelpause		1 Schlag

31 Schreibe die folgenden Pausen:

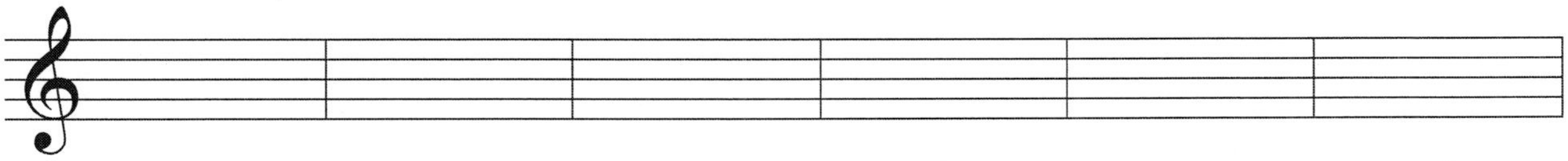

halbe Pause — Viertelpause — ganze Pause — Viertelpause — halbe Pause — ganze Pause

32 Wie viele Schläge hat diese Pause?

𝄻 ________ Schläge 𝄼 ________ Schläge 𝄽 ________ Schlag

Richtung der Notenhälse

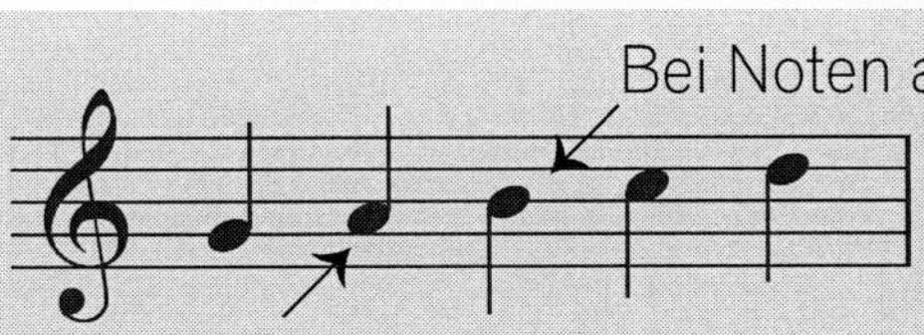

Bei Noten auf oder über der 3. Linie ist der Hals nach unten gerichtet und hängt links am Notenkopf.

Unterhalb der 3. Linie ist der Hals nach oben gerichtet und hängt rechts am Notenkopf.

33 Ab welcher Notenlinie ist der Notenhals nach unten gerichtet? Ab der ____ Linie.

34 Gib jeder Note einen Notenhals, achte auf die Richtung.

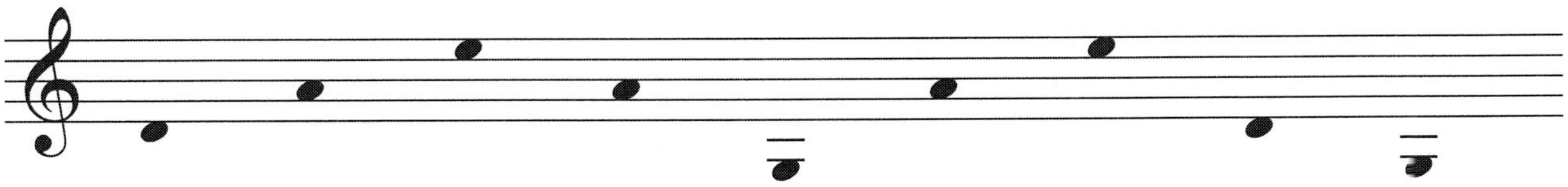

Takt

Eine Melodie wird durch Taktstriche in gleiche Zeitabschnitte (Takte) eingeteilt.

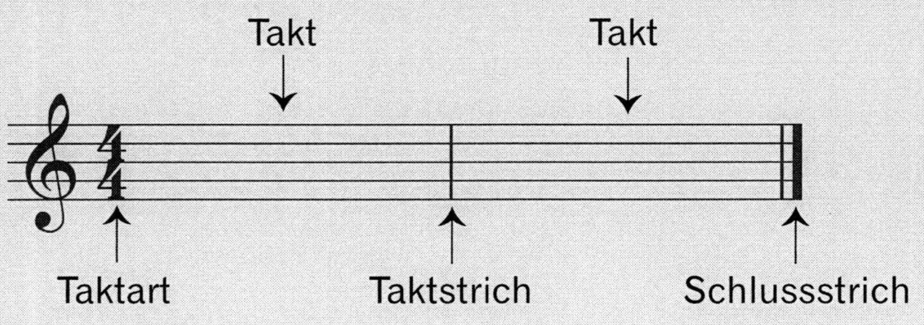

35 Wie viele Takte hat diese Melodie? _____ Takte

36 Kreuze an.

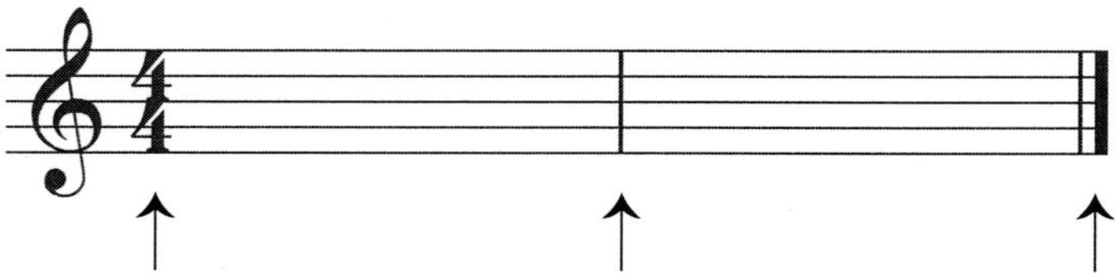

- ○ Anpfiff
- ○ Taktart
- ○ Quartett

- ○ Schlussstrich
- ○ Taktstrich
- ○ Haltezeichen

- ○ Doppelbalken
- ○ Begrenzungslinie
- ○ Schlussstrich

37 Schreibe einen Violinschlüssel und eine Taktart. Trage drei Taktstriche ein. Verteile sie gleichmäßig. Setze am Ende einen Schlussstrich.

Dämpfer

Der Dämpfer (Sordino) verändert die Lautstärke, die Klangfarbe und die Klangqualität. Der Dämpfer ist aus Holz oder Kunststoff und wird auf den Steg geklemmt. Im Notentext steht entweder die Anweisung *con sordino* (mit Dämpfer) oder *senza sordino* (ohne Dämpfer).

Taktarten

Zweivierteltakt

Zähle 1 2

Dreivierteltakt

Zähle 1 2 3

Viervierteltakt

Zähle 1 2 3 4

Anderes Zeichen für $\frac{4}{4}$ = C

Anzahl der Grundschläge pro Takt → $\frac{4}{4}$ ← dieser Notenwert wird gezählt.

38 Wie viele Grundschläge hat der Takt? Trage die Zahl ins Kästchen ein.

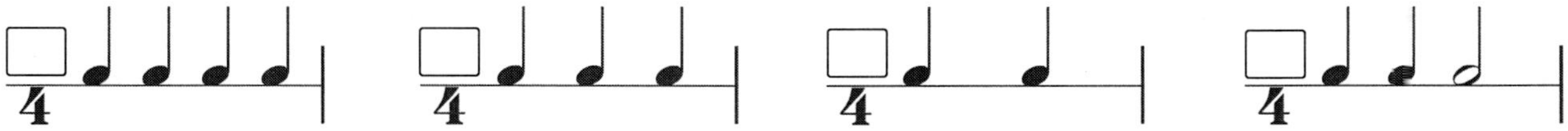

39 Schreibe unter jeden Takt die Zählzeiten. Zähle in Viertelnoten.

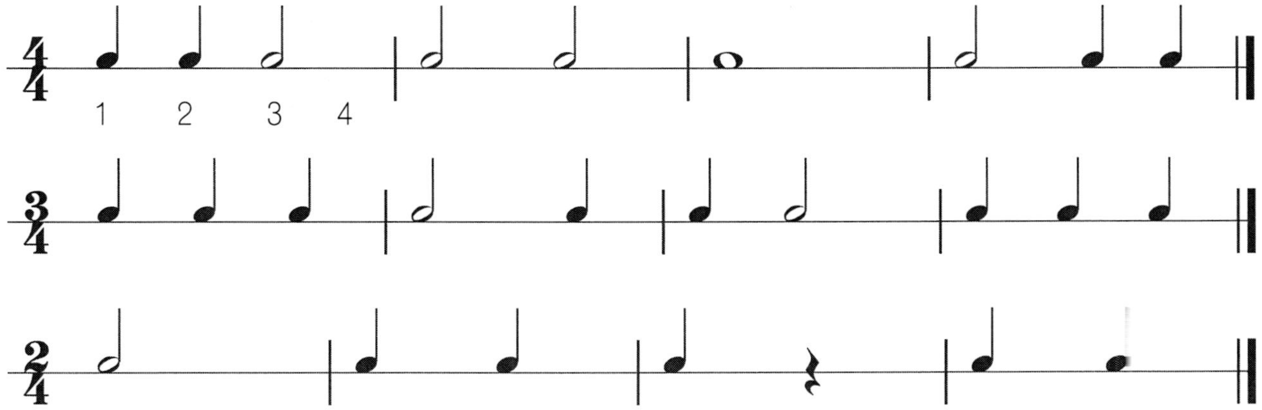

40 Schreibe die entsprechende Anzahl Viertelnoten in die Takte.

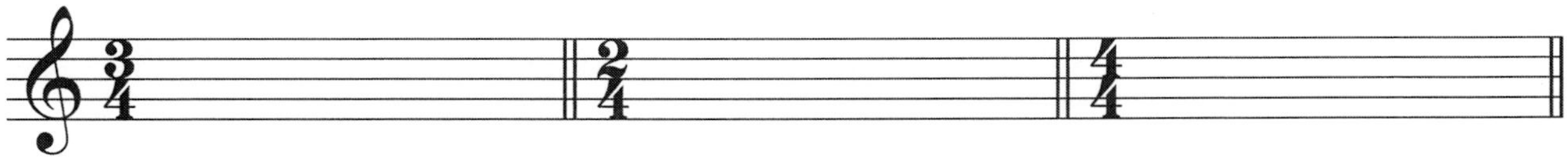

Dynamische Zeichen

Die dynamischen Zeichen geben an, wie laut oder leise man spielen soll.
Die Bezeichnungen kommen aus der italienischen Sprache.

pp	= pianissimo	= sehr leise	***mf***	= mezzoforte	= mittellaut
p	= piano	= leise	***f***	= forte	= laut
mp	= mezzopiano	= mittelleise	***ff***	= fortissimo	= sehr laut

<	*cresc.*	= *crescendo*	= allmählich lauter werden
>	*decresc.*	= *decrescendo*	= allmählich leiser werden
	dim.	= *diminuendo*	= allmählich leiser werden

41 Ergänze die fehlenden Buchstaben.

f = f _ _ t _ = l _ _ _ ***p*** = p _ _ _ o = l _ _ _ _

42 Verbinde Wort und Notenbeispiel.

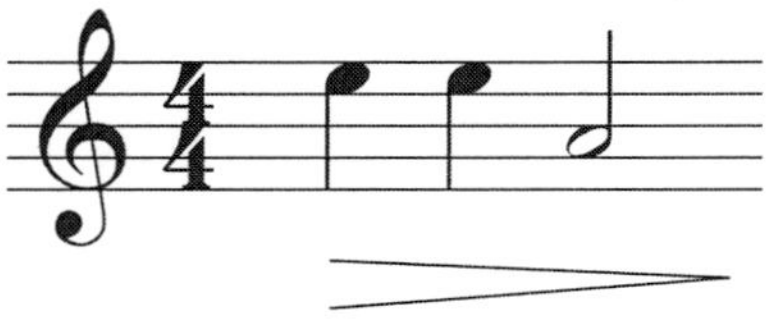

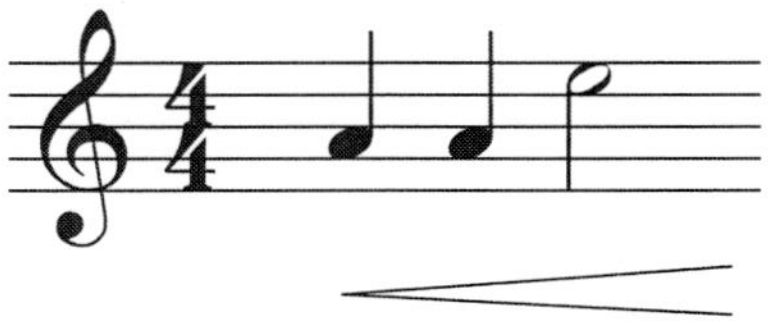

decresc.

dim.

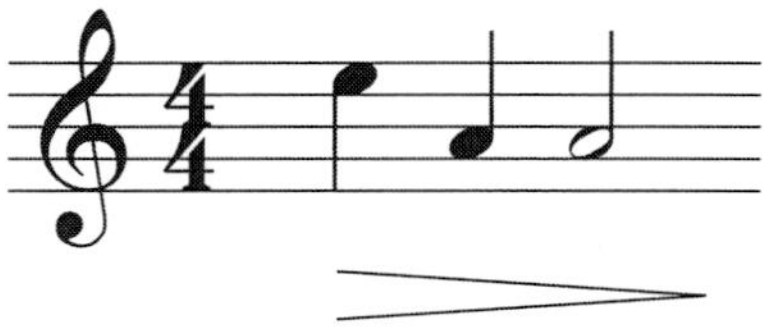

cresc.

Saiten

Die ersten Streichinstrumente wurden mit **Darmsaiten** bespannt. Sie klingen weich und warm, sind aber temperatur- und feuchtigkeitsempfindlich und müssen häufig nachgestimmt werden. Ihre Haltbarkeit ist sehr begrenzt und sie können leicht reißen. **Stahlsaiten** halten gut die Stimmung, sind kräftig im Ton und halten lange ohne starke Abnutzungen.

Kunststoffsaiten
Moderne Saiten sind aus unterschiedlichen Kunststoffen mit oder ohne Metallummantelung (Gold, Silber, Aluminium). Sie werden am häufigsten benutzt und bieten vielfältige Klangfarben an. Ihre Haltbarkeit ist besser als die der Darmsaiten, doch sollten sie mindestens einmal im Jahr erneuert werden.

Neue Saiten aufziehen
Ist eine Saite zu ersetzen, so wird sie zunächst in den Feinstimmer eingehängt, dann wird das obere Ende in das kleine Loch im Wirbel eingefädelt, um dann im Uhrzeigersinn aufgewickelt zu werden. Ist genügend Spannung auf der Saite, so kann sie über den Steg und in die Ritze des Sattels eingelegt werden. Danach kann durch sanftes Drehen des Wirbels die notwendige Tonhöhe nach und nach eingestellt werden.

Haltebogen

Sind zwei Noten gleicher Tonhöhe mit einem Bogen verbunden, so handelt es sich um einen Haltebogen.
Der übergebundene Ton wird nicht noch einmal angeschlagen, verlängert aber die angebundene Note um ihren Wert.

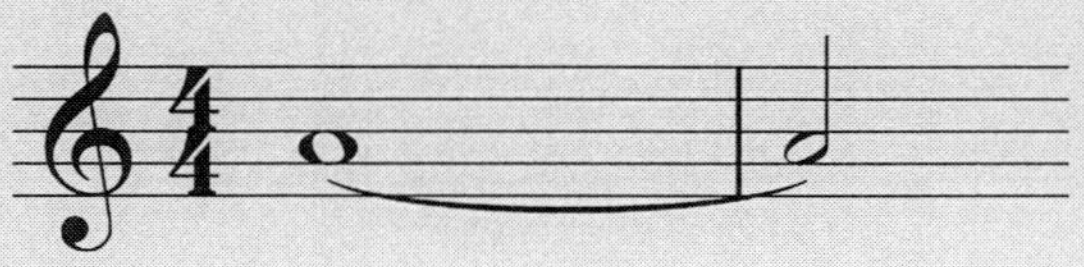
= 6 Schläge

43 Wo steht ein Haltebogen? Kreuze an.

○ 

○ 

Auftakt

Der Auftakt ist ein unvollständiger Takt am Anfang eines Musikstückes.
Auftakt und Schlusstakt ergeben zusammen einen vollständigen Takt.

Auftakt Schlusstakt

Zähle: 3 1 2 3 1 2 3 1 2 3 1 2

44 Welche Melodien haben einen Auftakt?

○ 

○ 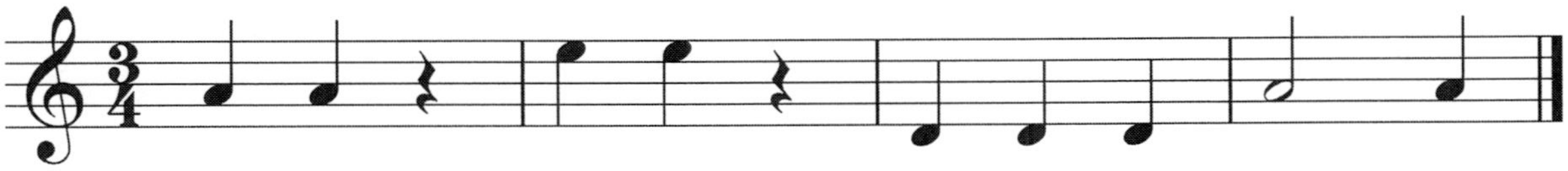

○ 

Wiederholungszeichen :‖

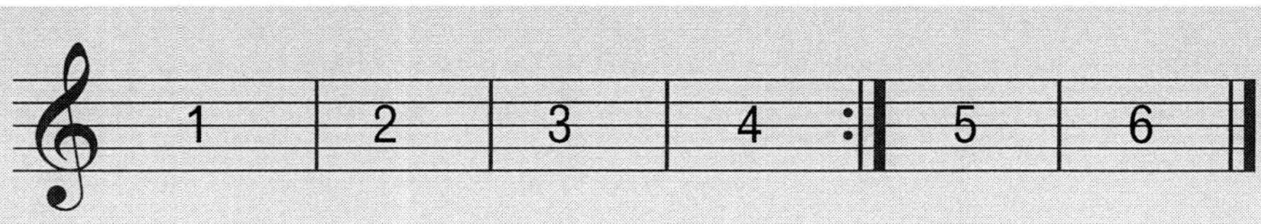

Spiele in der Reihenfolge:
1 2 3 4 1 2 3 4 5 6

1 2 3 4 3 4 5 6

45 In welcher Reihenfolge werden die Takte gespielt?

1 2 3 4 5 6 7 8 9 10

Reihenfolge: 1 2 __ __ __ __ __ __ __ __ __ __

Klammern 1. und 2.

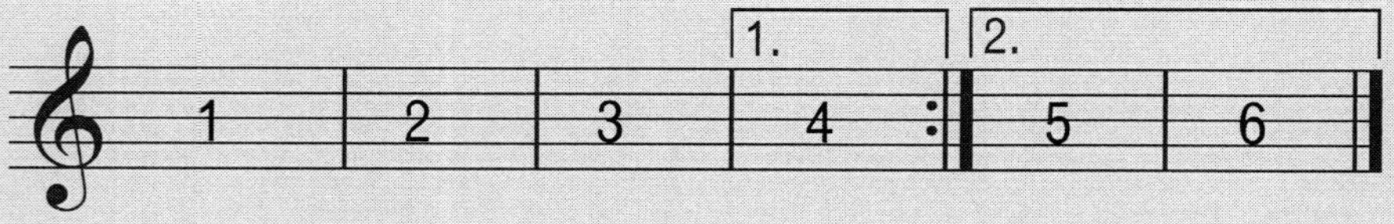

Spiele in der Reihenfolge:
1 2 3 4 1 2 3 5 6

46 In welcher Reihenfolge werden die Takte gespielt?

1 2 3 4 5 6

Reihenfolge: 1 2 __ __ __ __ __ __

47 Wie heißt dieses Zeichen?

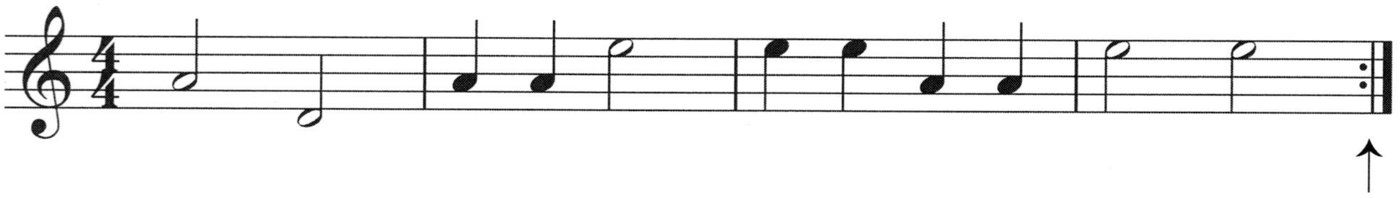

____

Punktierte halbe Note

𝅗𝅥.

1	2	3

Punktierte halbe Note oder Dreischlagnote = 3 Schläge
Ein Punkt hinter einer Note verlängert diese um die Hälfte ihres Wertes.

48 Wie viele Schläge hat die Note?

𝅗𝅥. ______ Schläge 𝅝 ______ Schläge

𝅗𝅥 ______ Schläge ♩ ______ Schlag

49 Zähle die Anzahl der Schläge zusammen.

𝅝 + ♩ + 𝅗𝅥. + 𝅗𝅥 + 𝅗𝅥. + ♩ + 𝅗𝅥 = _____ Schläge

Metronom

Das Metronom gibt durch regelmäßiges Ticken das Tempo an. Es hilft, das Tempo, welches vom Komponisten gewünscht oder vom Spieler selbst gewählt wird, gleichmäßig im Stück beizubehalten.
Das Metronom ist ein Gerät mit schwingendem Pendel, das von einem Uhrwerk angetrieben wird. Durch Verschieben des Pendelgewichtes kann das Schwingungstempo auf 40 bis 208 Schläge pro Minute eingestellt werden.
Seit der Entwicklung des Metronoms im Jahre 1816 durch J. N. Mälzel fügen die meisten Komponisten ihren Musikstücken neben den Tempobezeichnungen auch die Metronomangaben bei, z. B. **Andante** M. M. = 72; M. M. bedeutet Mälzel Metronom.
Heute gibt es auch elektronische Metronome und Apps. Sie zeigen die Schläge zusätzlich durch Blinklichter an. Außerdem können verschiedene Taktarten eingestellt werden.
Die Metronomangaben können auch in „bpm“ (beats per minute) angegeben werden.

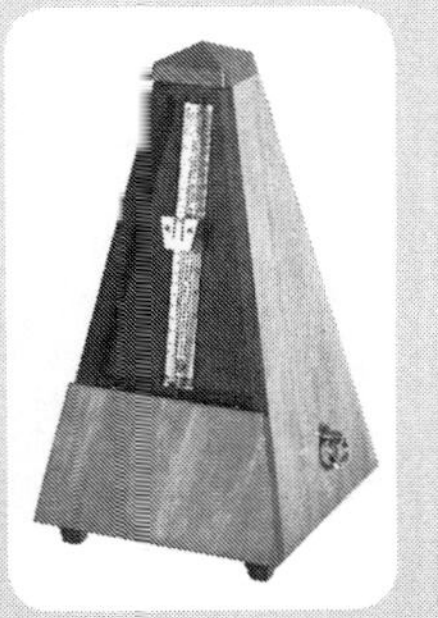

Fa. Wittner Metronom Mälzel

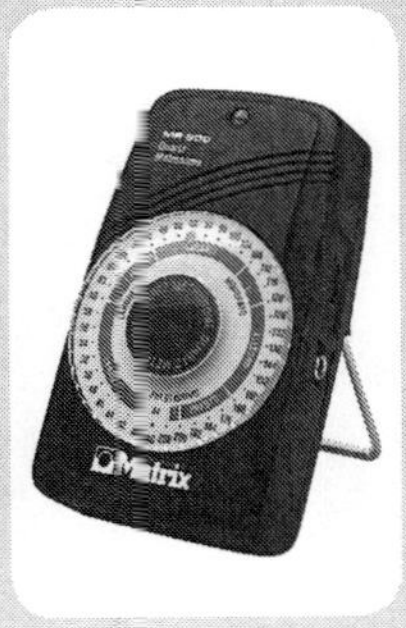

Fa. G. Knauer Großhandel www.gknauer.de

50 Wozu braucht man ein Metronom? Kreuze die zwei richtigen Antworten an.

○ um im Konzert die Zuhörer wach zu halten.
○ um beim Üben eines Stückes „im Takt“ zu bleiben.
○ um zu wissen, wie schnell ein Komponist sein Stück gespielt haben möchte.

Wissenstraining 1

51 Male aus den Notenköpfen folgende Notenwerte:

Viertelnote   halbe Note   punktierte halbe Note   ganze Note

52 Wie heißen die leeren Saiten der Geige?

__________ __________ __________ __________

53 Ordne die dynamischen Zeichen ***mf***, ***p***, ***f***, ***pp***, ***ff***, ***mp***.

sehr leise	***pp***	____	____	____	____	____	sehr laut
	1	2	3	4	5	6	

54 Schreibe eine Pause an die markierten Stellen, damit der Takt stimmt:

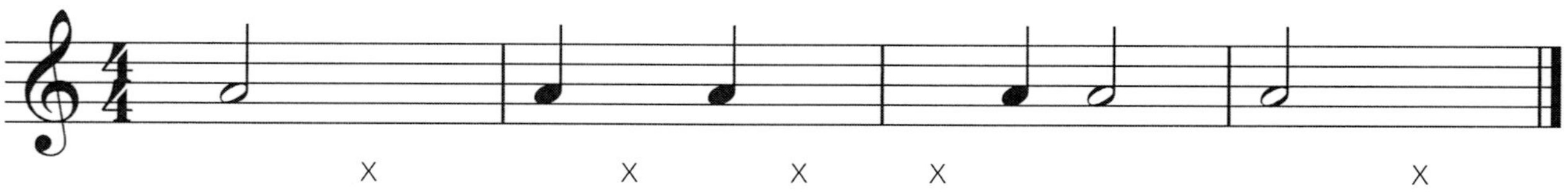

55 Nenne drei Geigengrößen.

__________ __________ __________

56 In welcher Reihenfolge werden die Saiten gestimmt?

__________ __________ __________ __________

57 Nenne fünf Streichinstrumente:

__________ __________ __________ __________ __________

58 Wie heißen die Noten?

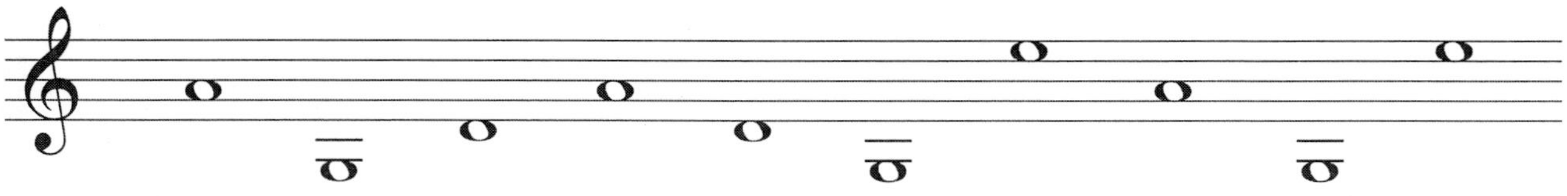

____ ____ ____ ____ ____ ____ ____ ____ ____ ____

59 Im folgenden Stück fehlt einiges.

(1) (2) (3) (4) (5)

Schreibe an die nummerierten Stellen:
(1) die entsprechende Taktart
(2) ein g als halbe Note
(3) ein a^1 als punktierte halbe Note
(4) einen Haltebogen
(5) eine Viertelpause

60 Schreibe unter jeden Takt die Zählzeiten. Zähle in Viertelnoten.

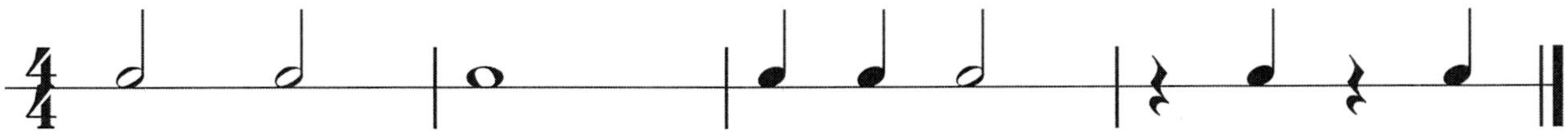

1 2 3 4

61 Schreibe in halben Noten.

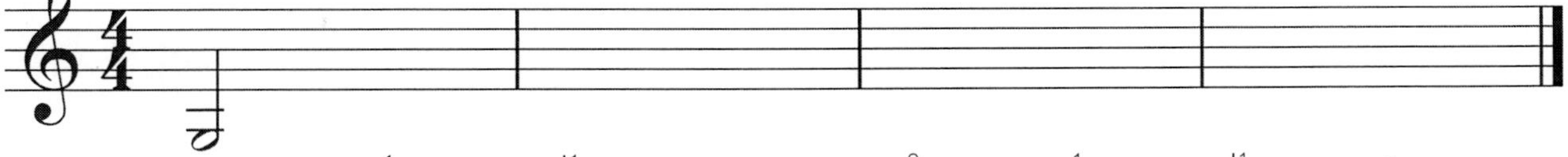

g a^1 d^1 g e^2 a^1 d^1 g

62 Was ist ein Metronom?

○ Ein Gerät, das die Tonhöhe angibt. ○ Ein Gerät, welches das Tempo angibt.

63 Verbinde:

Staccato	gebunden
Legato	kurz
Portato	abgesetzt
Akzent	betont

64 Schreibe nach den folgenden Tönen eine Pause mit dem gleichen Wert.

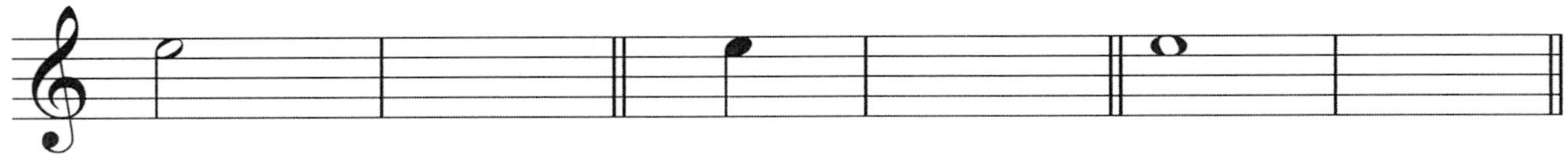

65 Trage die Taktart ein.

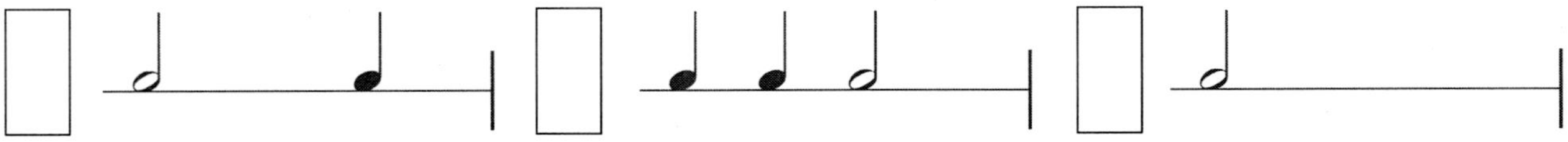

66 Wann schlägt das Metronom schneller? Kreuze an!

○ bei Tempo 140 ○ bei Tempo 60

67 Entschlüssele diese Wörter:

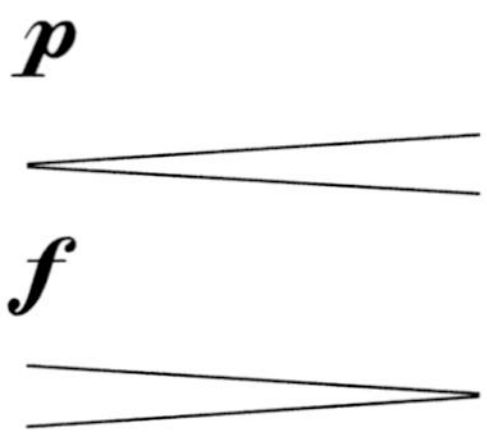

noapi ______________

coserdnce ______________

oftre ______________

desoencrdec ______________

68 Verbinde mit einem Strich die Taktart und das passende Notenbeispiel.

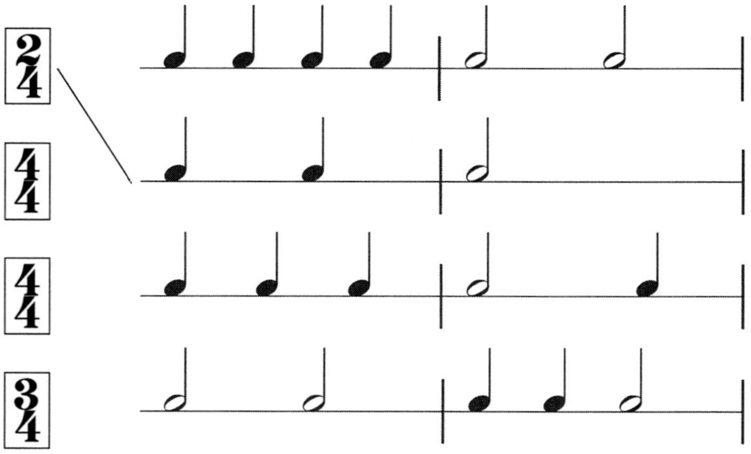

69 Beantworte folgende Fragen:

1. Wie heißt dieses Zeichen? . . . . ____________
2. Welchen Notenwert hat dieser Ton? . . . . ____________
3. Wie nennt man das System, das die fünf Linien bilden? ____________
4. Benenne den Ton. . . . . ____________
5. Wie heißt der Strich? . . . . ____________
6. Welchen Notenwert hat dieser Ton? . . . . ____________
7. Benenne diesen Ton. . . . . ____________
8. Wie heißt der Notenwert dieses Tones? . . . . ____________
9. Wie heißt dieses Zeichen? . . . . ____________
10. Wie heißt dieses Zeichen? . . . . ____________

70 Benenne die Geigenteile.

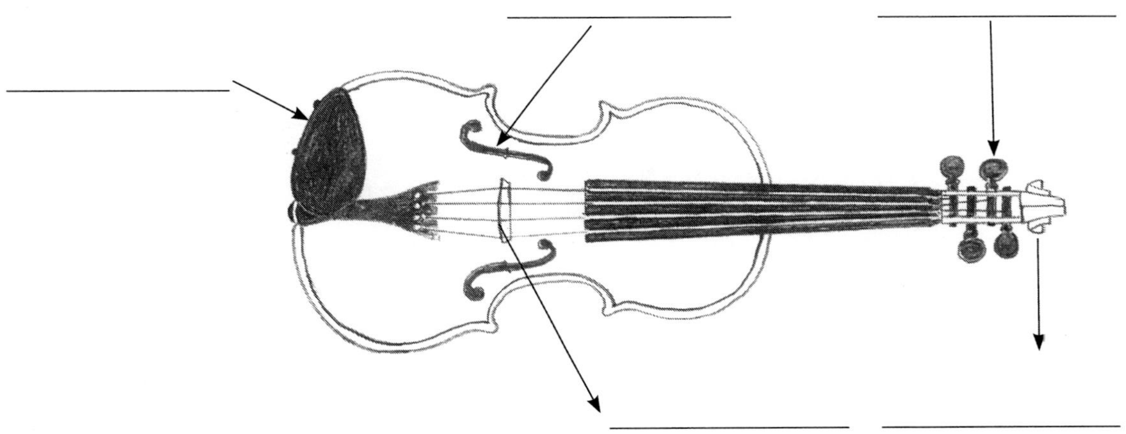

71 Von welchem Tier stammen die Bogenhaare?

○ Pferd ○ Kamel ○ Hund ○ Schnecke ○ Frosch

72 Kreuze die Bestandteile einer Violine an.

○ Wirbel ○ Kopf ○ Feinstimmer ○ Hals ○ Muschel ○ Steg ○ St mmstock

73 Wodurch verstimmt sich die Violine?

○ Verdrehen der Stimmwirbel ○ Dunkelheit ○ Temperatur ○ Spielen

Teil 2

Achtelnote und Achtelpause

Achtelnote = 1/2 Schlag

Achtelpause = 1/2 Schlag

einzeln mit Fähnchen

Zähle: | 1 und | 2 und | 3 und | 4 und |

zu mehreren mit Balken

74 Schreibe unter jeden Takt die Zählzeiten. Zähle in Achtelnoten.

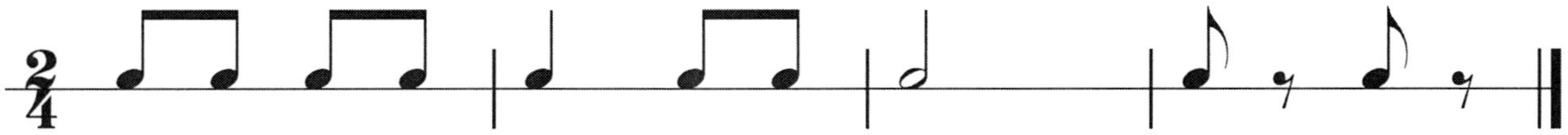

1 und 2 und

75 Verwandle jede Viertelnote in eine Achtelnote und ergänze Balken oder Fähnchen.

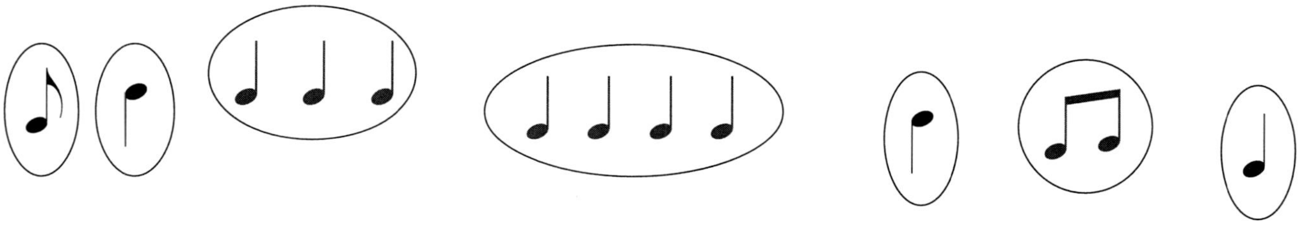

76 Ziehe einen Kreis um die Achtelpausen und male alle Pausen aus.

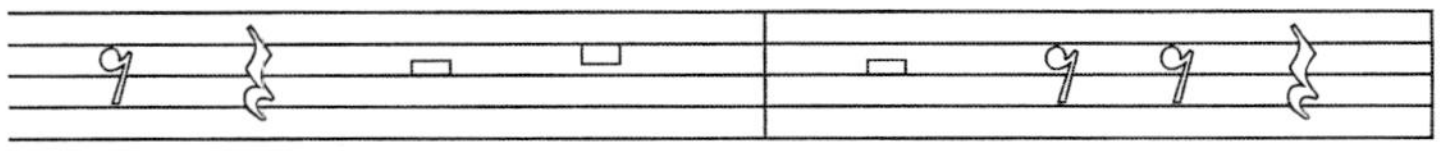

Punktierte Viertelnote

Ein Punkt nach einer Note verlängert diese um die Hälfte ihres Wertes.

Punktierte Viertelnote

1 1/2 Schläge 1 Schlag 1/2 Schlag

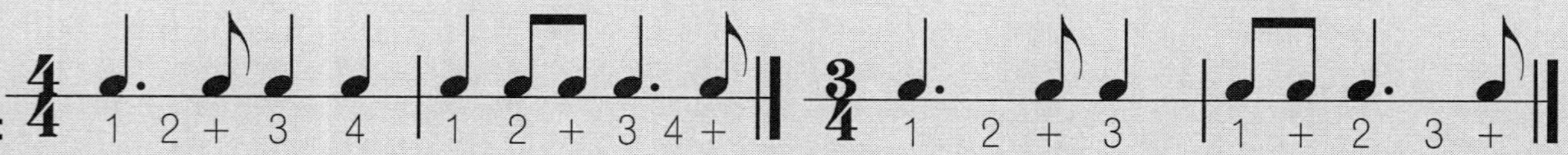

Zähle: 1 2 + 3 4 | 1 2 + 3 4 + ‖ 1 2 + 3 | 1 + 2 3 +

77 Wie viele Schläge hat die Note?

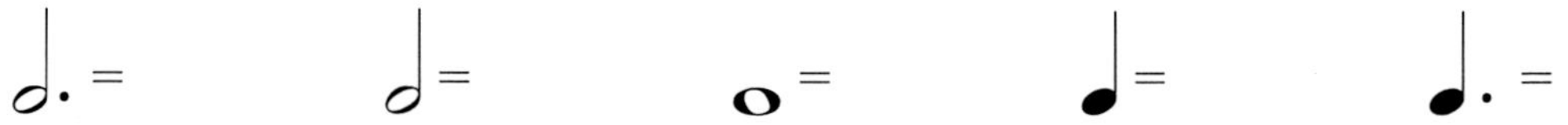

Hilfslinien

Neben den 5 Notenlinien gibt es noch Hilfslinien.

78 Schreibe zwei Hilfslinien über das Notensystem:

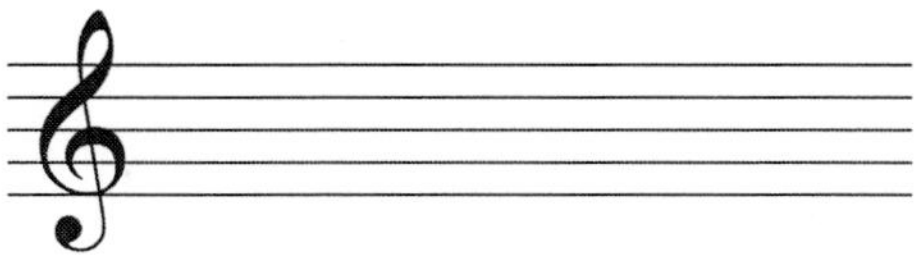

Schreibe eine Hilfslinie unter das Notensystem.

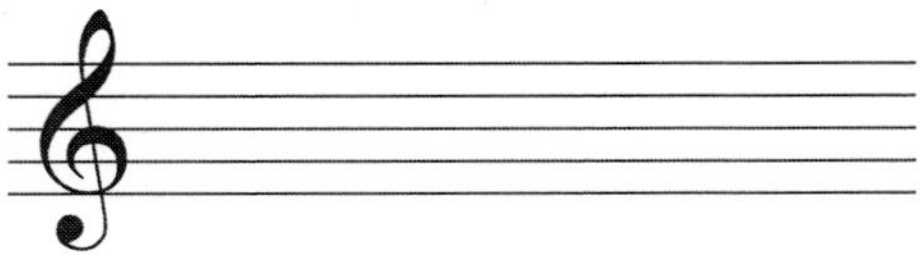

Noten in der 1. Lage von g bis h^2

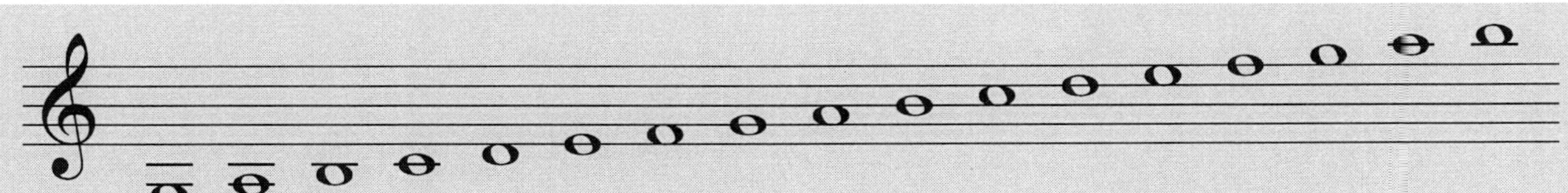

g a h c^1 d^1 e^1 f^1 g^1 a^1 h^1 c^2 d^2 e^2 f^2 g^2 a^2 h^2

79 Wie heißen die Noten?

80 Schreibe die entsprechende Note über den Namen.

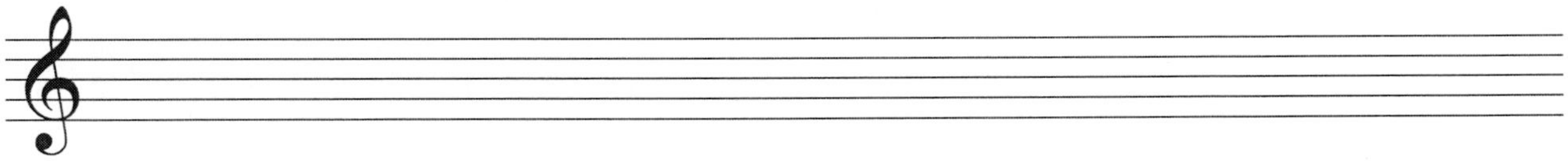

g^1 a^1 h c^1 d^2 h^2 e^2 g c^2 f^1 a d^1 e^1

Bezeichnung der Finger

Die Finger der linken Hand (Greifhand) werden mit Zahlen gekennzeichnet. Der Daumen erhält keine Bezeichnung, da er hinter dem Griffbrett liegt.

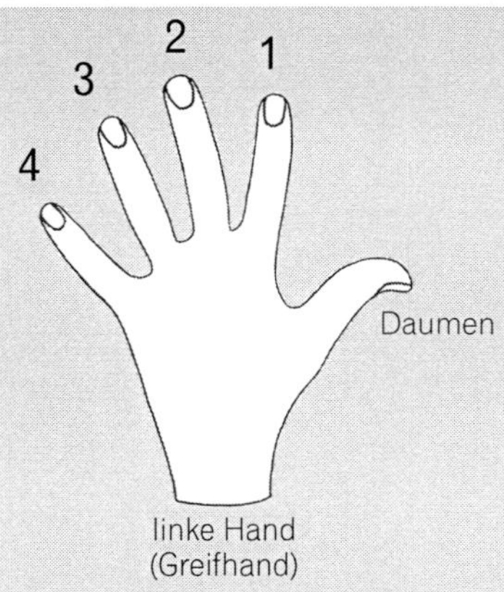

1 = Zeigefinger
2 = Mittelfinger
3 = Ringfinger
4 = kleiner Finger

81 Nummeriere die Finger der linken Hand.

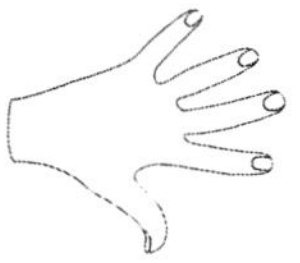

Halb- und Ganztonschritte

Auf dem Griffbrett der Violine ist der Abstand zwischen den Fingern, sowie der leeren Saite und dem 1. Finger, entweder ein Halbton (geringer Abstand ca. 0,5 cm) oder ein Ganzton (größerer Abstand ca. 1 cm).

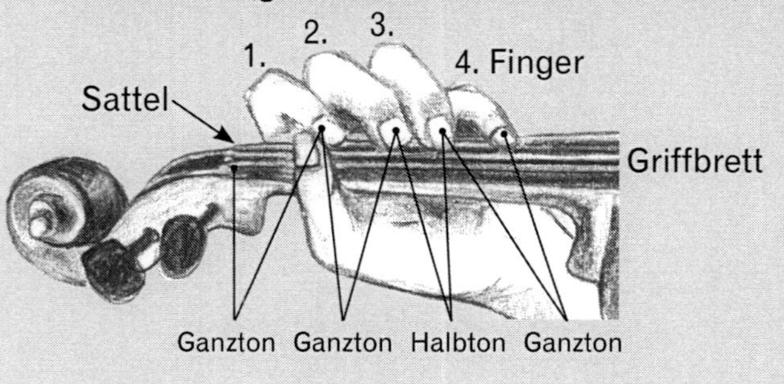

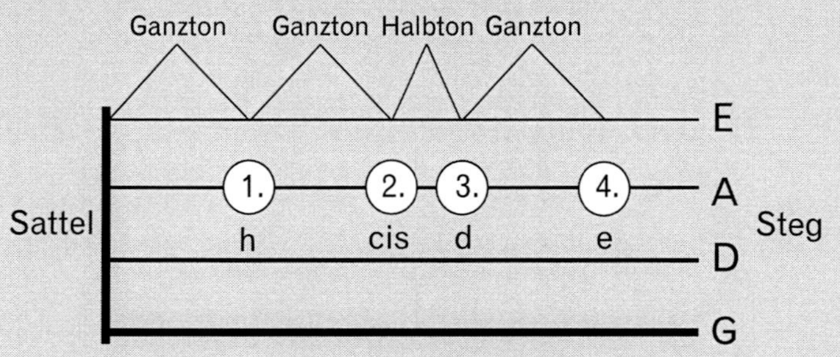

Auf der Klaviertastatur ist ein Halbtonschritt (HT) der Weg von einer Taste zur danebenliegenden schwarzen oder weißen Taste.
Ein Ganztonschritt (GT) überspringt eine Taste. Er besteht aus zwei Halbtonschritten.

Beispiel:

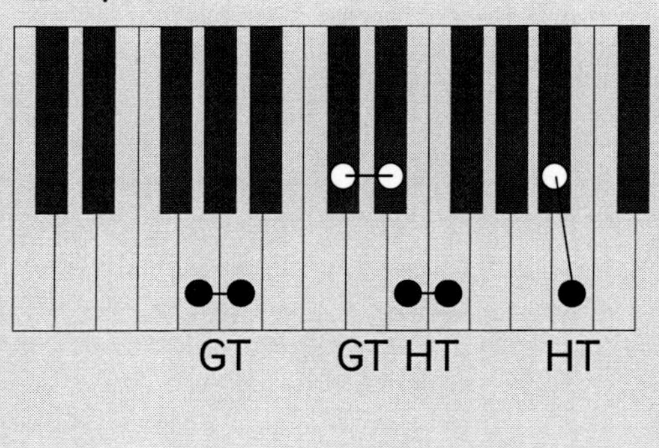

82 Trage die Halb- (HT) und Ganztonschritte (GT) ein.

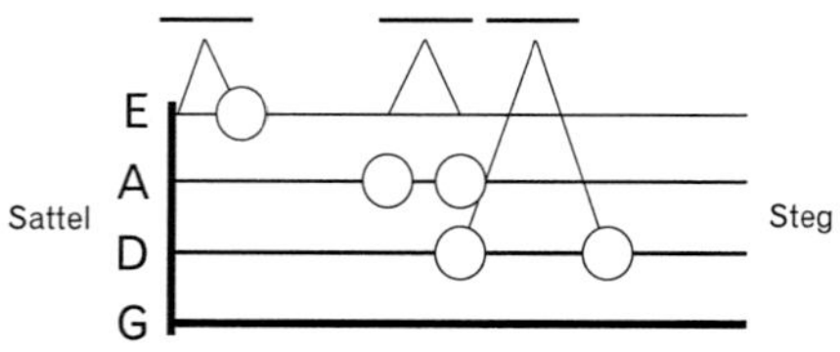

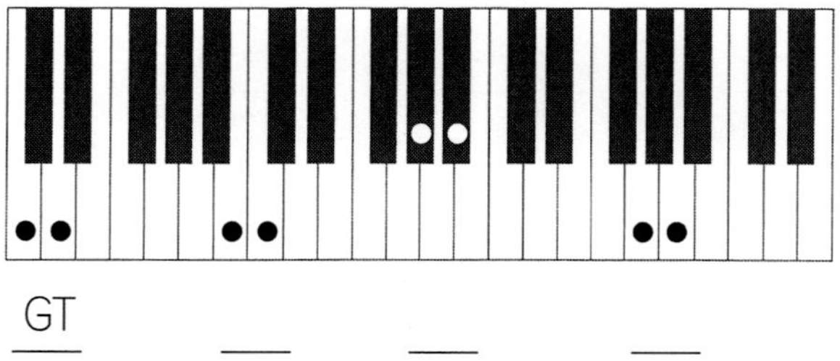

C-Dur-Tonleiter

Eine Tonleiter besteht aus acht Tönen, die stufenweise angeordnet sind. Die einzelnen Töne werden auch nach ihrer Tonstufe (1. bis 8. Stufe) benannt. Eine Tonleiter besteht aus Ganzton- und Halbtonschritten und wird nach dem Ton der 1. Stufe (Grundton) benannt.

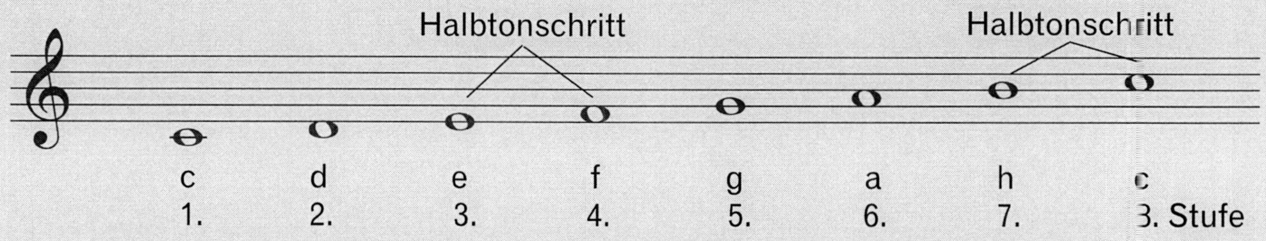

Bei der Dur-Tonleiter liegen die Halbtonschritte zwischen der 3. und 4. sowie zwischen der 7. und 8. Stufe. Die Töne einer Tonleiter nennt man „leitereigen“.

83 Zeichne die Halbtonschritte (∧) ein.

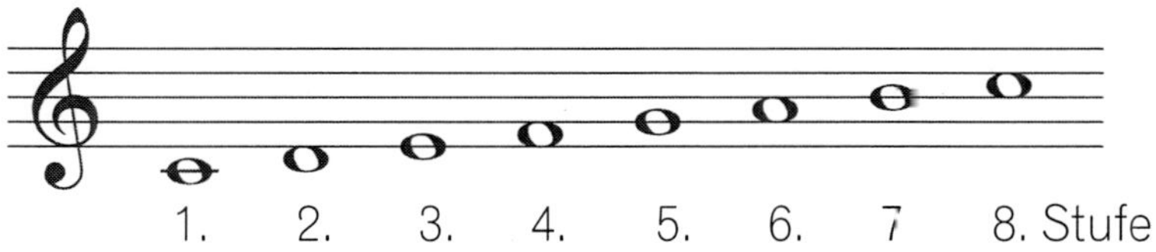

84 Was sind die Merkmale der Dur-Tonleiter? Kreuze die vier richtigen Anworten an.

- ◯ Die Tonleiter besteht aus acht Tönen.
- ◯ Ein Halbtonschritt liegt zwischen der 3. und 4. Stufe.
- ◯ Die Tonleiter besteht aus acht Ganztonschritten.
- ◯ Ein Halbtonschritt liegt zwischen der 7. und 8. Stufe.
- ◯ Die Tonleiter wird nach dem Ton der 1. Stufe benannt.

a-Moll

Natürliche a-Moll-Tonleiter

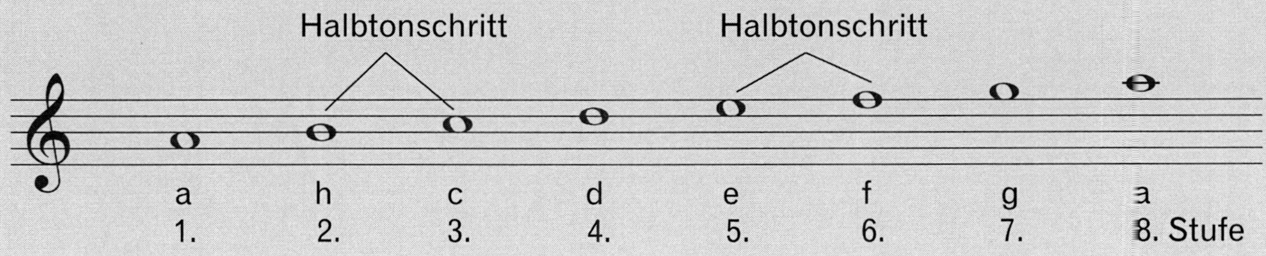

Die Halbtonschritte liegen bei der natürlichen Moll-Tonleiter zwischen der 2. und 3. sowie zwischen der 5. und 6. Stufe; a-Moll hat keine Vorzeichen.

85 Zeichne die Halbtonschritte (∧) für die natürliche a-Moll-Tonleiter ein.

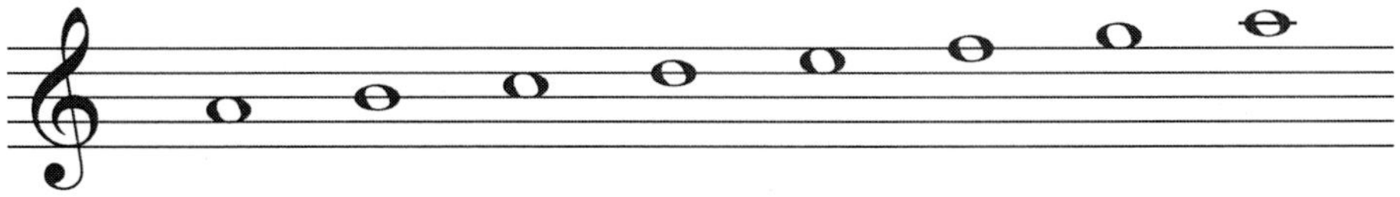

Versetzungszeichen: Das Kreuz (♯)

Das Kreuz (♯) vor einer Note erhöht diese um einen Halbton. Dem Notennamen wird die Endung „is“ angehängt (c wird zu cis, d wird zu dis usw.)

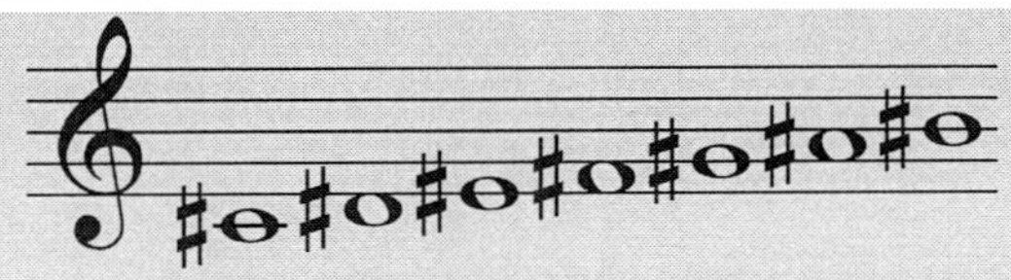

Das Versetzungszeichen gilt nur für den Takt, in dem es steht.

86 Schreibe vor jede Note das Versetzungszeichen ♯.

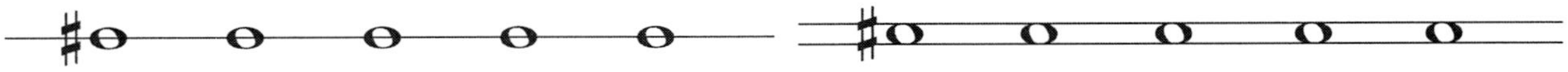

87 Schreibe vor jede Note ein ♯ und trage den Notennamen ein.

___ ___ ___ ___ ___ ___ ___ ___

Versetzungszeichen: Das „Be“ (♭)

Das „Be“ (♭) vor einer Note erniedrigt diese um einen Halbton. Dem Notennamen wird die Endung „es“ angehängt (c wird zu ces, d wird zu des), Ausnahmen: e wird zu es, a wird zu as und h wird zu b.

88 Schreibe je viermal das Versetzungszeichen „♭“.

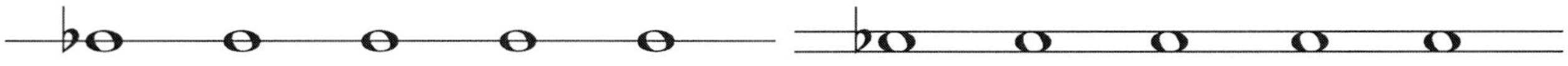

89 Schreibe vor jede Note ein „♭“.

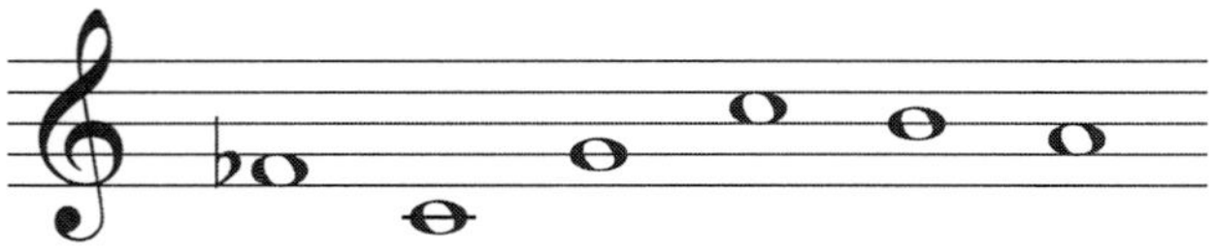

Wie heißen die Noten?

___ ___ ___ ___ ___

90 Streiche die falschen Notennamen durch.

das

ees as gas ges

b fesus es

Auflösungszeichen (♮)

Das Auflösungszeichen (♮) hebt ein Versetzungszeichen wieder auf.

e fis f f

Das Auflösungszeichen gilt nur für den Takt, in dem es steht.

91 Schreibe je viermal das Auflösungszeichen ♮.

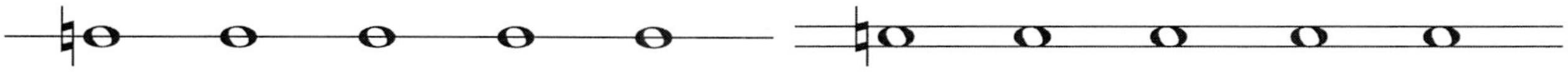

92 Schreibe vor jede Note ein Auflösungszeichen ♮.

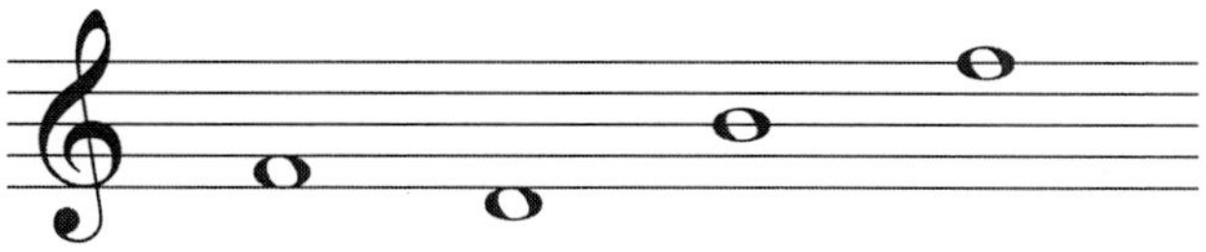

93 Wie heißen die Noten?

_ _ _ _ _ _ _ _

Enharmonische Verwechslung

Töne zwischen den Stammtönen nennt man Zwischentöne.

Zwischentöne haben zwei Namen:

=

cis = des

Das Vertauschen der Namen nennt man „enharmonische Verwechslung". Auch die Namen der Stammtöne können ausgetauscht werden: his = c, ces = h, eis = f, fes = e.

94 Wie heißt die enharmonische Verwechslung?

cis = des gis = _____ es = _____ ais = _____

ges = _____ fes = _____ dis = _____

Vorzeichen

Kreuze (♯) oder Be (♭) zu Beginn des Liniensystems heißen Vorzeichen. Sie geben an, in welcher Tonart das Stück steht. Vorzeichen gelten für die entsprechenden Noten in allen Oktavbereichen.

Beispiel: 

Note: fis¹ fis²

Das vorgezeichnete Kreuz (♯) macht aus jedem f ein fis, egal in welchem Oktavbereich die Noten stehen.

95 Wie heißen die Noten?

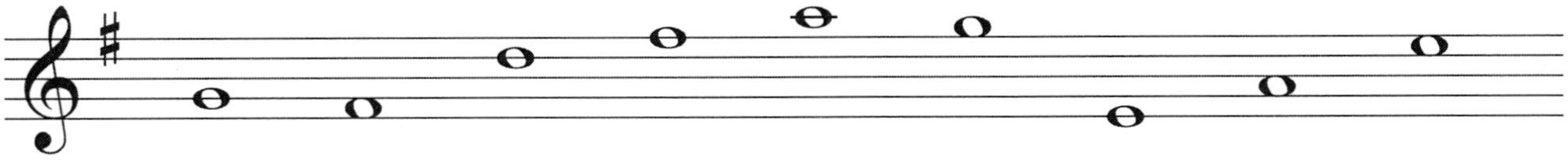

_____ _____ _____ _____ _____ _____ _____ _____ _____

G-Dur

Die G-Dur-Tonleiter

Halbtonschritt Halbtonschritt

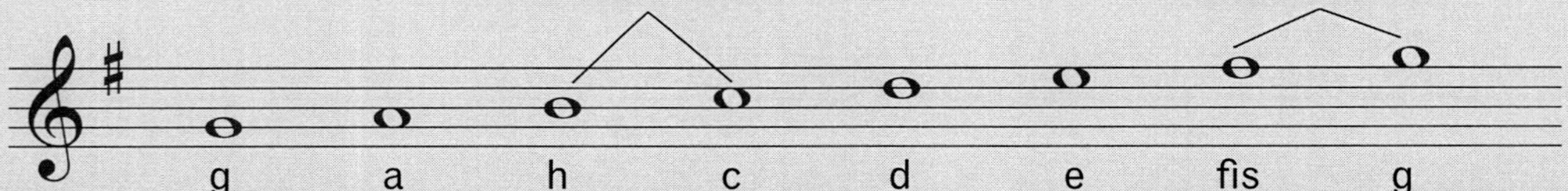

g	a	h	c	d	e	fis	g
1.	2.	3.	4.	5.	6.	7.	8. Stufe
Grundton						Leitton	

G-Dur hat ein Kreuz (♯) als Vorzeichen, f wird zu fis. Der Ton der 7. Stufe (in G-Dur: fis) heißt Leitton.

96 Trage das Vorzeichen für G-Dur ein.

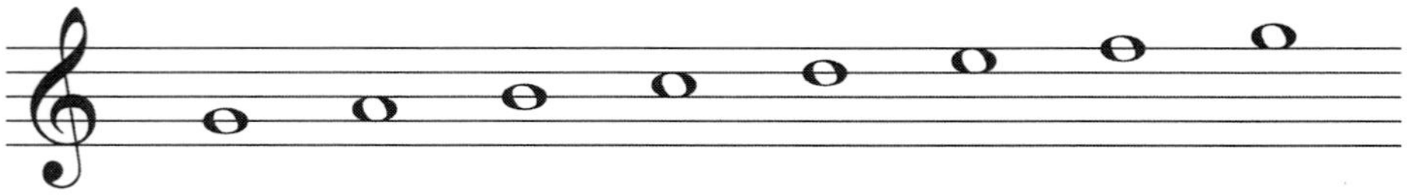

e-Moll

Natürliche e-Moll-Tonleiter

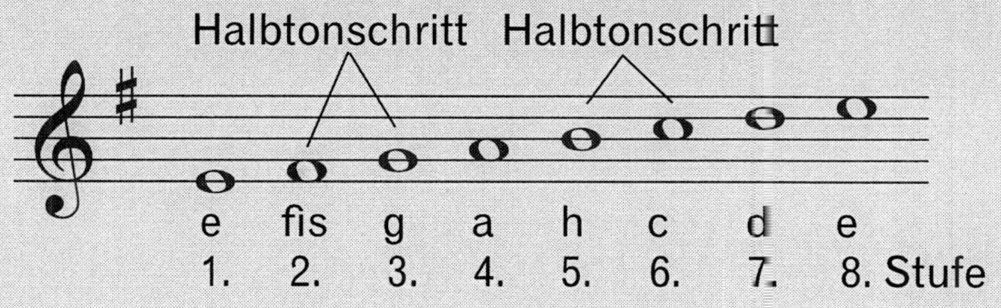

e-Moll hat ein Kreuz (♯) als Vorzeichen, f wird zu fis.

97 Wie heißen die Noten?

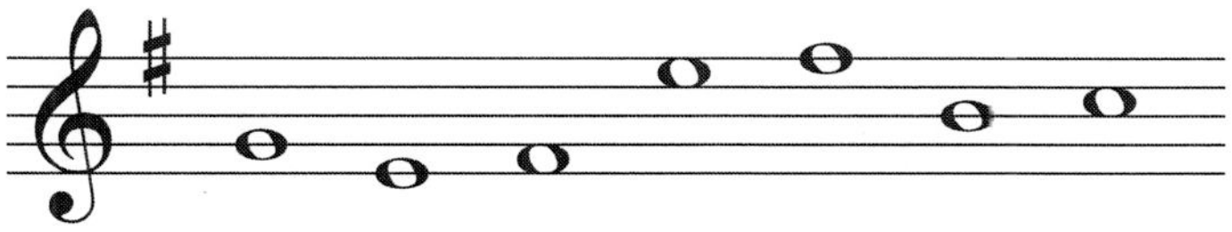

___ ___ ___ ___ ___ ___ ___

F-Dur

Die F-Dur-Tonleiter

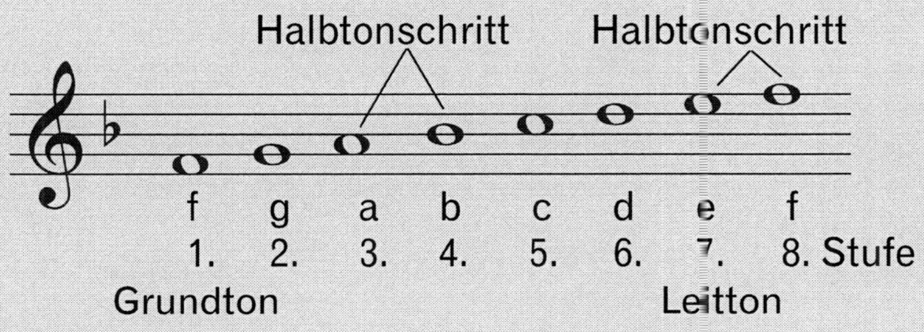

F-Dur hat ein „♭" als Vorzeichen, h wird zu b.

98 Kreuze die zwei richtigen Antworten an:

- ◯ F-Dur hat ein „♭" als Vorzeichen.
- ◯ In F-Dur werden alle Töne erniedrigt.
- ◯ Der Leitton von F-Dur heißt e.

d-Moll

Natürliche d-Moll-Tonleiter

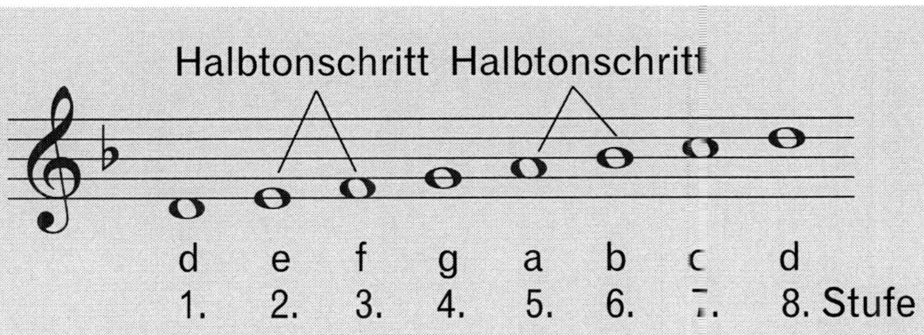

d-Moll hat ein „♭" als Vorzeichen, h wird zu b.

99 Trage das Vorzeichen von d-Moll ein.

Tempobezeichnungen

langsamer ↑↓ schneller

italienisch		deutsch
Grave	=	schwer, ernst
Lento	=	langsamer als Largo
Largo	=	breit
Larghetto	=	etwas breiter
Adagio	=	langsam
Andante	=	gehend, etwas langsam
Moderato	=	gemäßigt
Allegretto	=	mäßig bewegt
Allegro	=	heiter, lebhaft
Vivace	=	lebhaft
Presto	=	schnell
Prestissimo	=	sehr schnell

100 Verbinde:

Largo gehend Allegro breit

schnell heiter Presto Andante

Tonschritt

Nachbartöne

Tonsprung

Töne mit Abstand

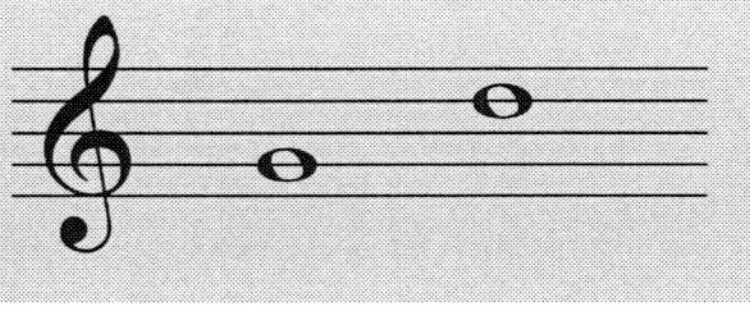

Tonwiederholung

gleiche Töne

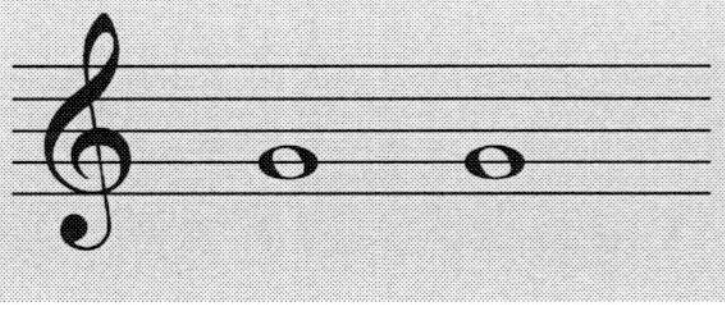

101 Trage ein: Sch (Tonschritt), Sp (Sprung) oder W (Wiederholung)

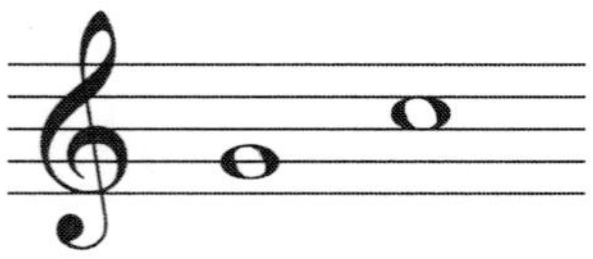
______

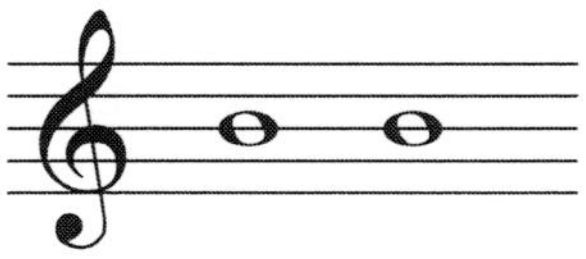
______

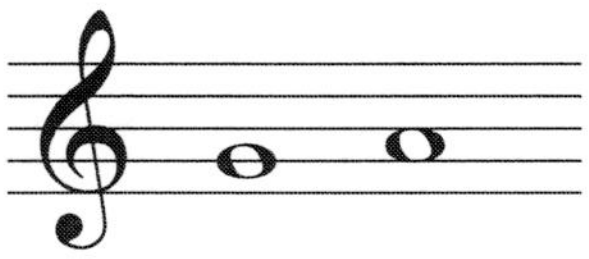
______

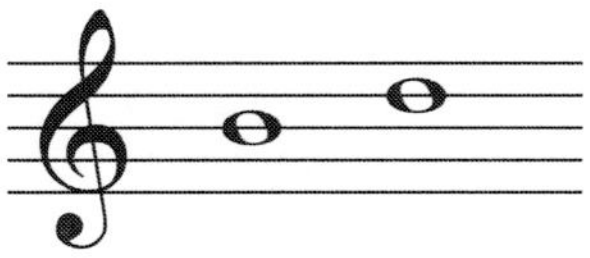
______

Intervalle – Grobbestimmung

Ein Intervall ist der Abstand zwischen zwei Tönen, wobei der unterste und der oberste Ton mitgezählt werden.

Prime
gleicher Ton

Sekunde
Abstand von 2 Tönen

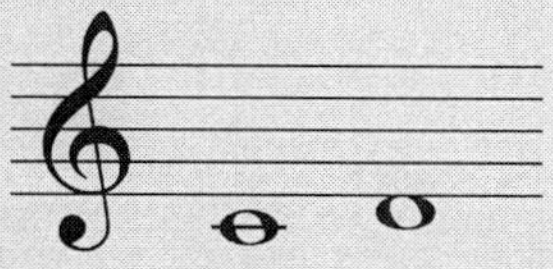

Terz
Abstand von 3 Tönen

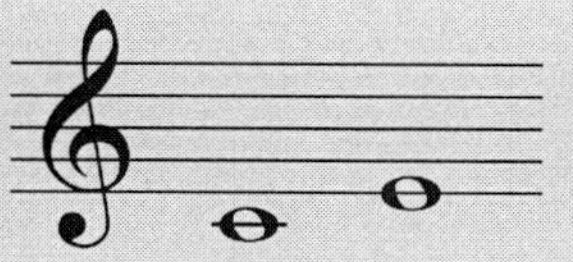

Quarte
Abstand von 4 Tönen

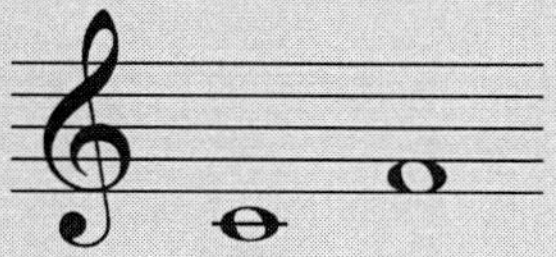

Quinte
Abstand von 5 Tönen

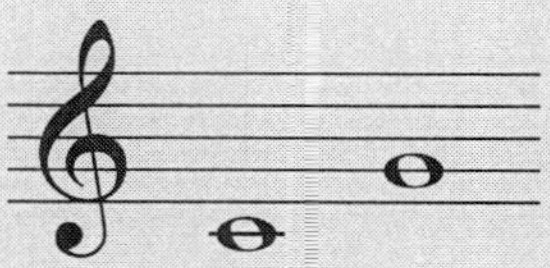

Sexte
Abstand von 6 Tönen

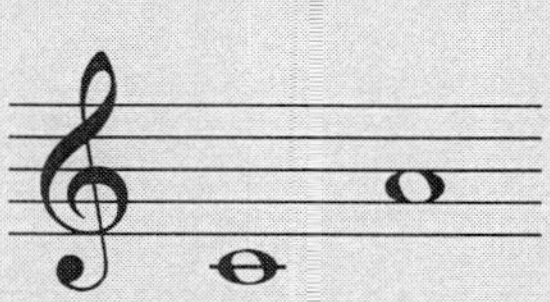

Septime
Abstand von 7 Tönen

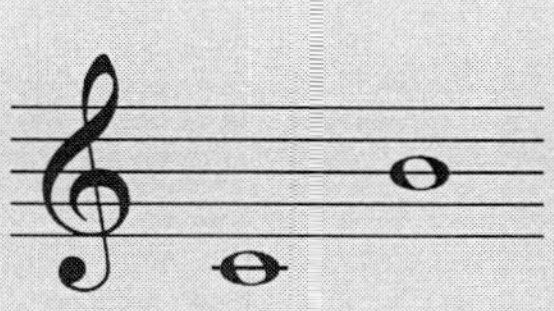

Oktave
Abstand von 8 Tönen

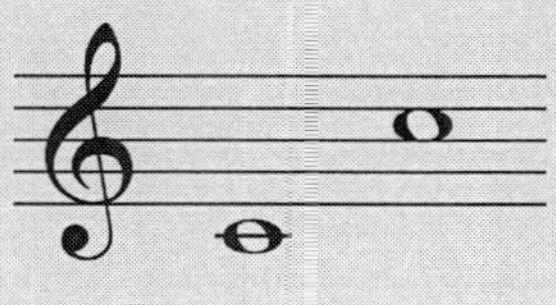

102 Schreibe folgende Intervalle von c^1 aufwärts:

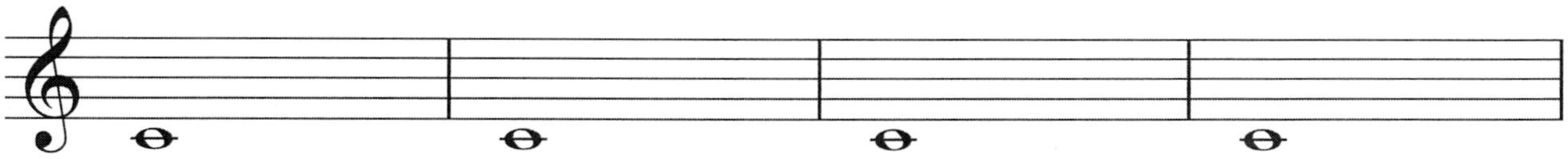

Terz Quinte Sexte Oktave

103 Schreibe folgende Intervalle von c^2 abwärts:

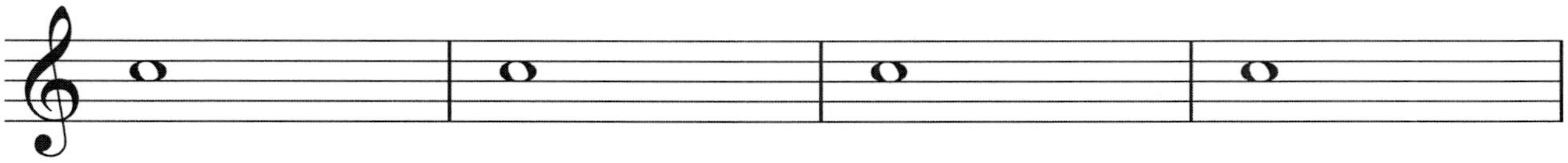

Sekunde Quarte Septime Terz

104 Verbinde:

Oktave

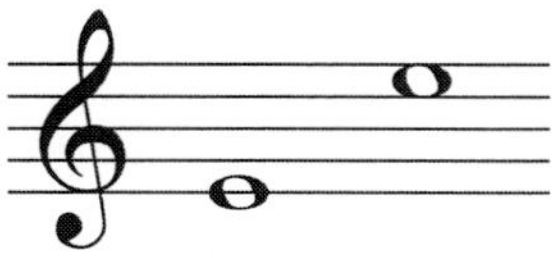

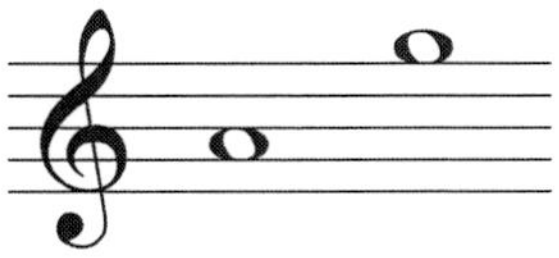

Septime

105 Wie heißt das Intervall?

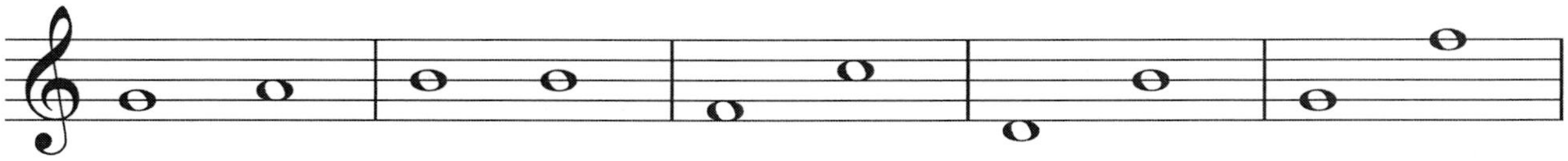

_______ _______ _______ _______ _______

1. Lage

Die 1. Lage auf Violine/Viola/Violoncello ist die Basisposition für die Hand auf dem Griffbrett, nahe dem Sattel.

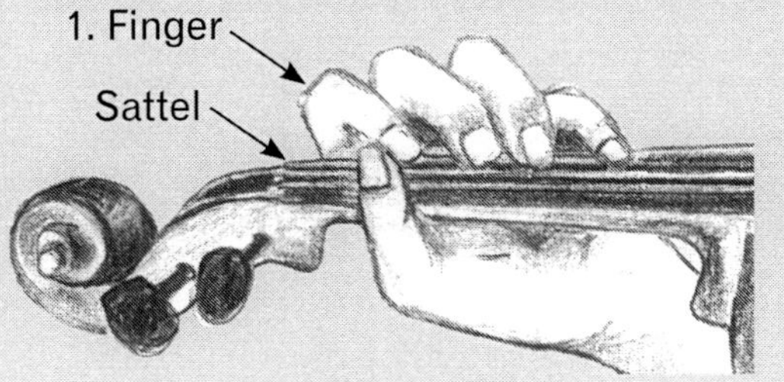

Für die Violine gilt (Beispiel 1):

Der 1. Finger spielt einen Halbton, wenn er 0,5 cm vom Sattel aufgesetzt wird. Der 1. Finger spielt einen Ganzton, wenn er 1 cm vom Sattel aufgesetzt wird. Mithilfe des Gehörs wird die genaue Position der Finger auf dem Griffbrett gefunden.

Beispiel 1 E-Saite: 1. Finger spielt den Ton **f²** oder **fis²**.

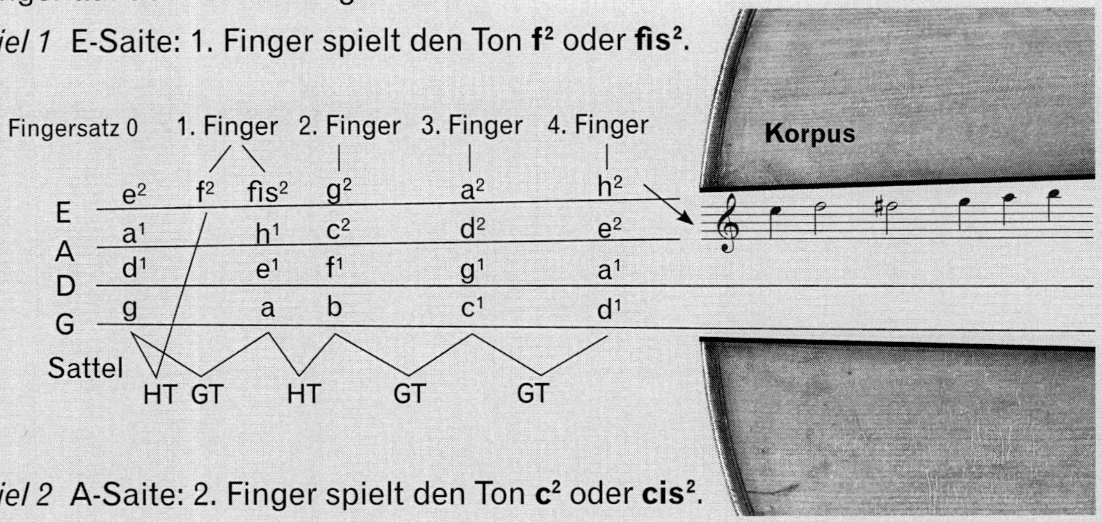

Beispiel 2 A-Saite: 2. Finger spielt den Ton **c²** oder **cis²**.

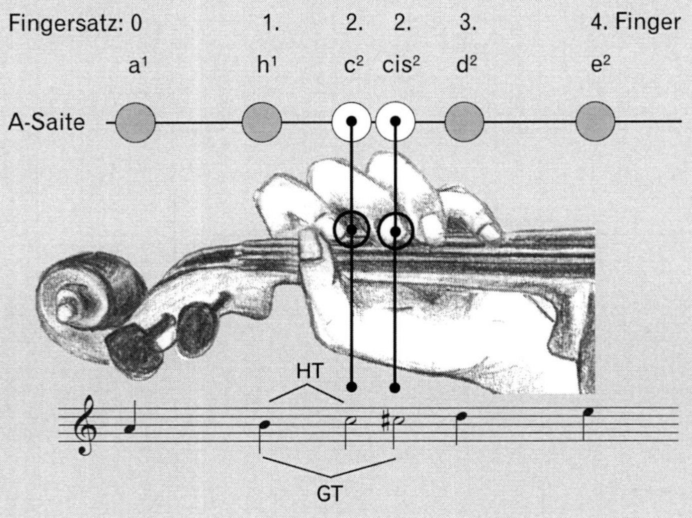

106 Wie heißt der Ton?

1. Lage
3. Finger =
A-Saite

1. Lage
1. Finger =
E- Saite

107 Mit welchem Finger in der ersten Lage spielst du den Ton?

d¹ = _____ Saite
_____ Finger

a² = _____ Saite
_____ Finger

Viola

Die Viola oder Bratsche (ital. Viola da braccio, Armgeige) ist die „größere" Geige. Die Saiten heißen C, G, D und A. Die Viola klingt warm, weich und tiefer als die Violine. Der Korpus hat normalerweise eine Länge von ca. 39–43 cm. Die Töne liegen aufgrund der längeren Mensur (Abstand zwischen Steg und Sattel) weiter auseinander. Der Violabogen gleicht dem Violinbogen, ist aber etwas schwerer und wiegt ca. 70 g.
Die Noten werden im Bratschenschlüssel (Alt-, C-Schlüssel) geschrieben.

Gambe

Viola da Gamba ist der Oberbegriff für eine Streichinstrumentenfamilie, die etwa zur gleichen Zeit wie die Violine entstanden ist. Die Viola da Gamba wird zwischen den Beinen (= Gamba) gehalten. Es gibt verschiedene Gambenformen (Diskant-, Alt/Tenor- und Bassgambe) die ihre eigenen Notenschlüssel haben. Die Diskantgambe (6 Saiten) ist die kleinste der Familie und die Bassgambe (6/7 Saiten) die größte. Das Griffbrett hat 7 Bünde und der normalerweise gespielte Tonumfang ist max. eine Quinte höher als die höchste Saite. Der Klang der Gamben ist sehr fein und transparent.

Diskantgambe
Notation: Bratschen- oder Violinschlüssel

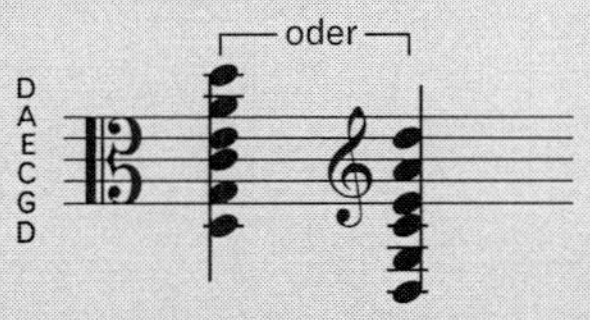

Tenor-/Altgambe
Notation: Bratschen- oder Tenorschlüssel

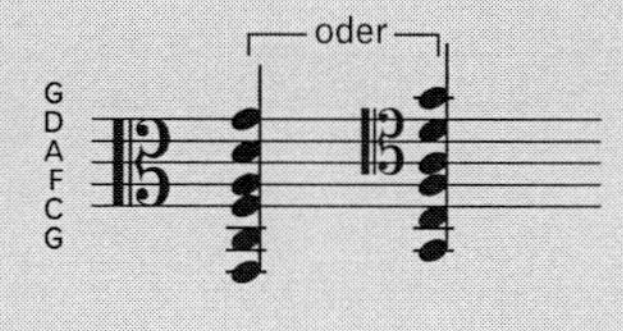

Bassgambe
Notation: Bassschlüssel

108 Wie heißen die Saiten der Viola? A B C D E F G H I J K

109 Wie viele Saiten hat die Diskantgambe? 2 5 6 8

Wissenstraining 2

110 Kreuze die drei richtigen Aussagen über Vorzeichen an.

- ◯ Vorzeichen stehen zu Beginn des Liniensystems, nach dem Notenschlüssel.
- ◯ Vorzeichen bedeuten „Achtung, die Melodie hat falsche Töne".
- ◯ Vorzeichen gelten für die entsprechenden Töne in allen Oktavbereichen.
- ◯ Das Vorzeichen ♯ erhöht alle entsprechenden Noten um einen Halbton.

111 Kreuze die drei richtigen Aussagen über Versetzungszeichen an.

- ◯ Versetzungszeichen erhöhen Noten um zwei Ganztöne.
- ◯ Versetzungszeichen stehen vor den Noten.
- ◯ Versetzungszeichen gelten nur für einen Takt.
- ◯ Das Versetzungszeichen ♭ erniedrigt Noten um einen Halbton.

112 Finde die Wörter heraus.

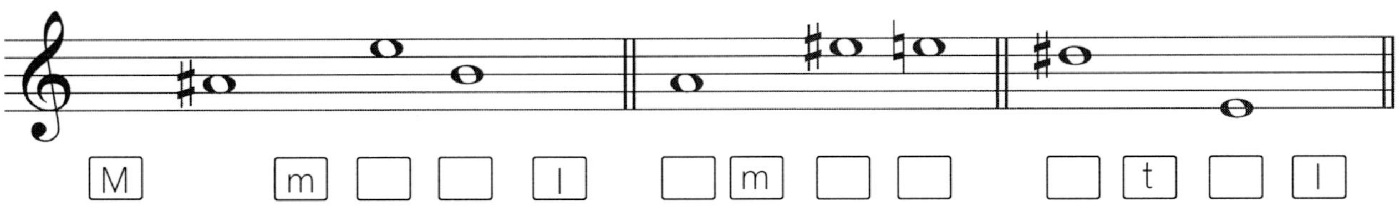

113 Verbinde Noten mit gleichem Namen.

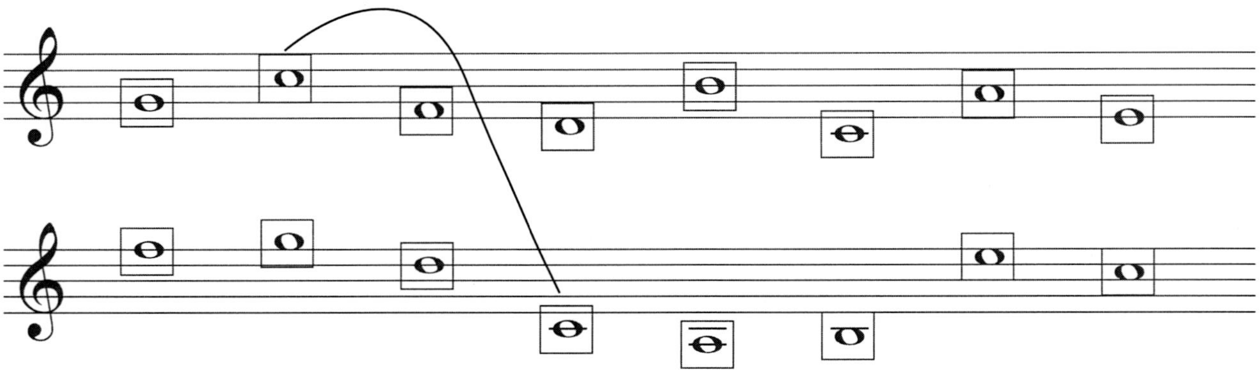

114 Ergänze Be (♭) oder Auflösungszeichen (♮).

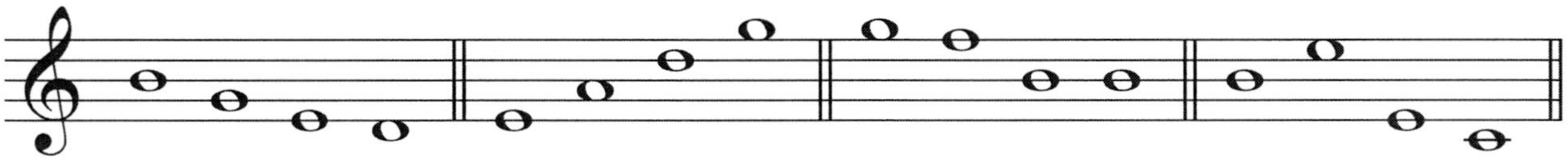

b g es d e as des ges g f b h b es e c

115 Ergänze Viertelpausen, halbe Pausen oder ganze Pausen.

116 Zähle die Pausenwerte zusammen.

 = ___ Viertel-Grundschläge

 = ___ Viertel-Grundschläge

 = ___ Viertel-Grundschläge

117 Ergänze Kreuz oder Auflösungszeichen.

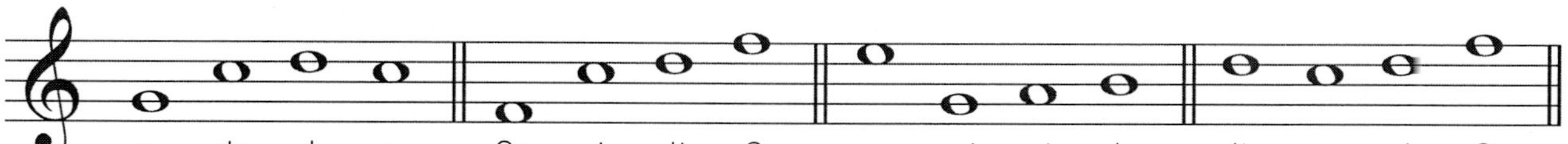

118 Trage Ganzton- (GT) oder Halbtonschritt (HT) ein.

______ ______ ______ ______ ______ ______ ______ ______

119 Wo liegen die Halbtonschritte bei der natürlichen Moll-Tonleiter?

Sie liegen zwischen der 2. und ___ Stufe sowie zwischen der ___ und ___ Stufe.

120 Schreibe die a-Moll-Tonleiter aufwärts und trage die Halbtonschritte ein.

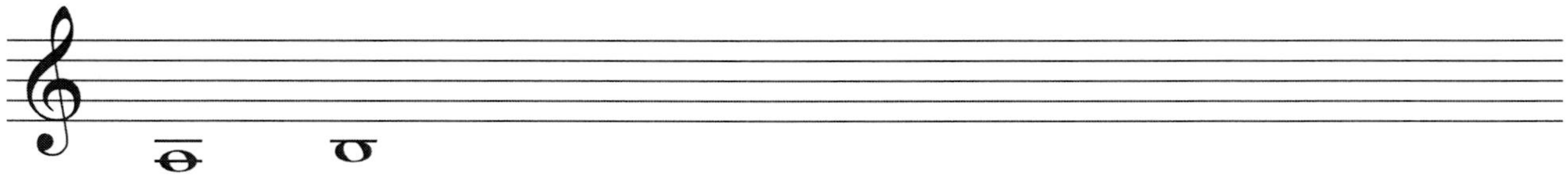

121 Kennzeichne Tonschritte mit Sch, Tonsprünge mit Sp und Tonwiederholungen mit W.

______________ ______________ ______________ ______________

122 Wie heißen die Intervalle?

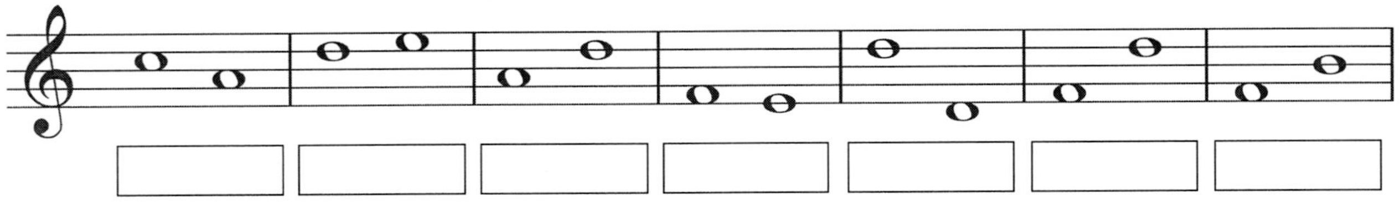

123 Schreibe den oberen Ton der angegebenen Intervalle.

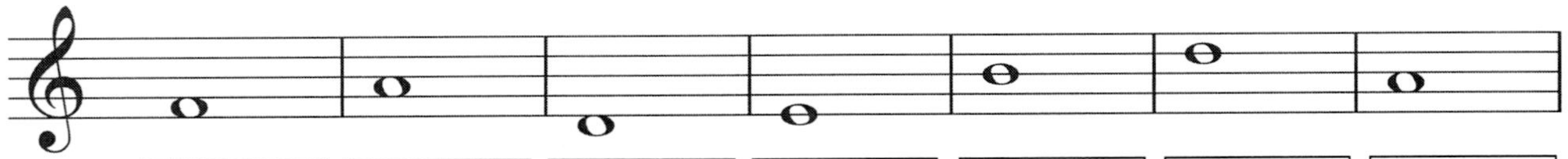

Terz	Sexte	Oktave	Quinte	Sekunde	Prime	Quarte

124 Bestimme die Tonart der Melodie.

☐-Moll 

☐-Dur 

125 Welche Note ist die längste? Gib der längsten Note die Nummer 1, der zweitlängsten die Nummer 2 und so weiter.

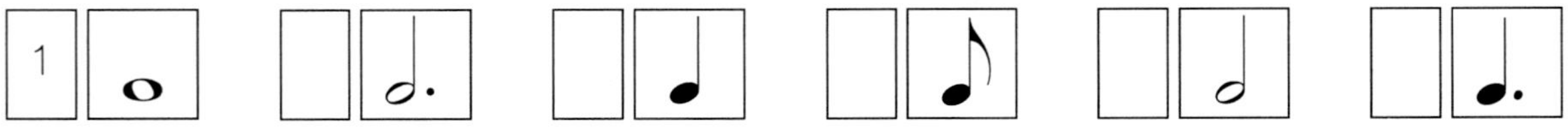

126 Übertrage die Melodie von F-Dur nach G-Dur.

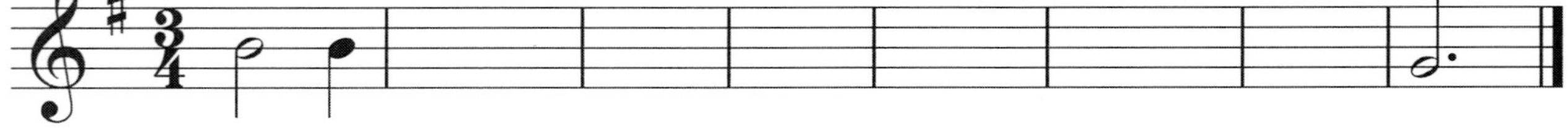

127 Finde die Wörter heraus.

________	________	____ i ____	____ m ____

128 Schreibe in Noten.

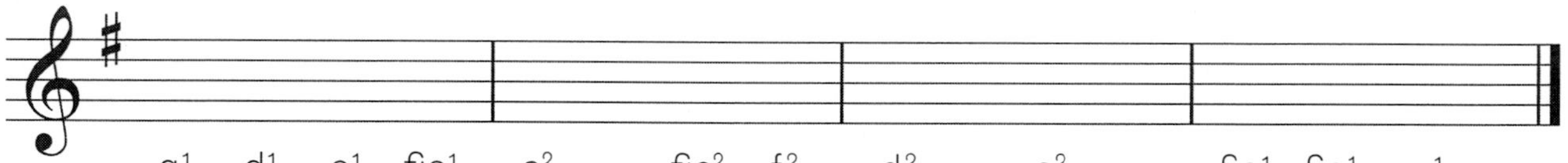

g¹	d¹	e¹	fis¹	e²	fis²	f²	d²	a²	fis¹	fis¹	g¹
Viertel	Viertel	Viertel	Viertel	Halbe	Viertel	Viertel	Halbe	Halbe	Viertel	Viertel	Halbe

129 Setze die Taktstriche.

130 Wie heißt der Ton?

1. Lage
A-Saite
1. Finger
ohne Vorzeichen
=

1. Lage
D-Saite
2. Finger
ohne Vorzeichen
=

131 Kreuze die richtige Antwort für Viola an.

○ Viola da brechio ○ Viola da braccio ○ Viola da Bratchio

132 Ergänze die folgende Melodie mit den entsprechenden Zeichen.

(1) (2) (3) (4) (5) (6) (7)

(1) Violinschlüssel
(2) Taktart
(3) Zeichen, so dass dieser Ton kurz gespielt wird
(4) einen Haltebogen
(5) einen Bindebogen unter die Noten
(6) ein Zeichen, so dass dieser Ton um die Hälfte verlängert wird
(7) Schlussstrich

Teil 3

Wiederholungszeichen: D. C. al Fine und D. S. al Fine

D. C. al Fine = *Da Capo al Fine* = Wiederhole vom Anfang und spiele bis *Fine* (Ende).

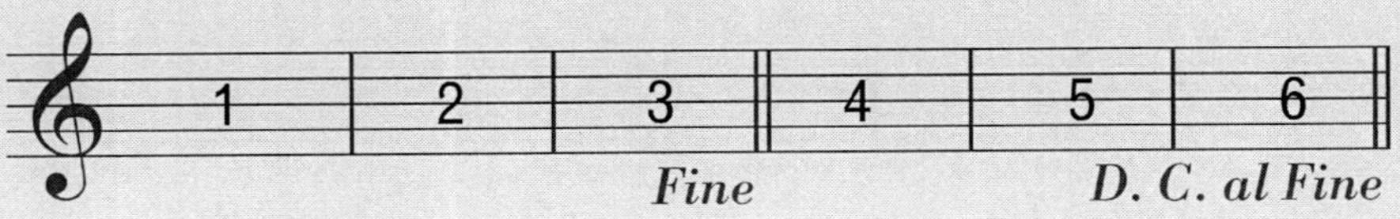

Spiele: 1 2 3 4 5 6 1 2 3

D. S. al Fine = *Dal Segno al Fine* = Wiederhole vom Zeichen 𝄋 und spiele bis *Fine* (Ende).

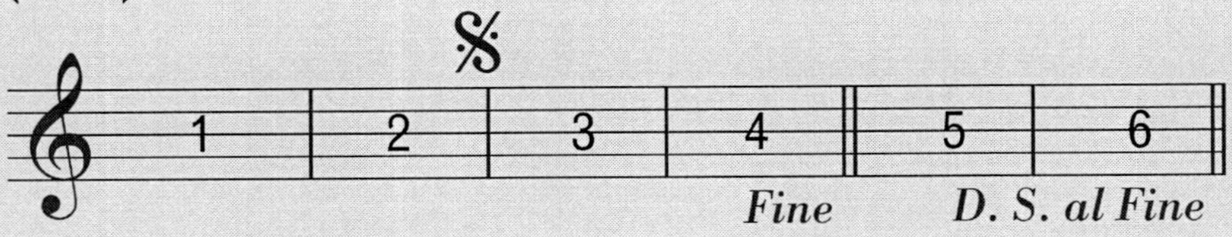

Spiele: 1 2 3 4 5 6 3 4

133 Trage die Reihenfolge ein, in der gespielt wird.

Reihenfolge:

_ _ _ _ _ _ _ _ _

Wiederholungszeichen: D. C. al 𝄌 – 𝄌 und D. S. al 𝄌 – 𝄌

D. C. al 𝄌 – 𝄌 = Da Capo al „Kopf“ – „Kopf“ = Wiederhole vom Anfang, spiele bis Kopf 𝄌 und springe zum nächsten Kopf 𝄌.

Spiele: 1 2 3 4 1 2 3 5 6

D. S. al 𝄌 – 𝄌 = Dal Segno al „Kopf“ – „Kopf“ = Wiederhole vom Zeichen 𝄋, spiele bis Kopf 𝄌 und springe zum nächsten Kopf 𝄌.

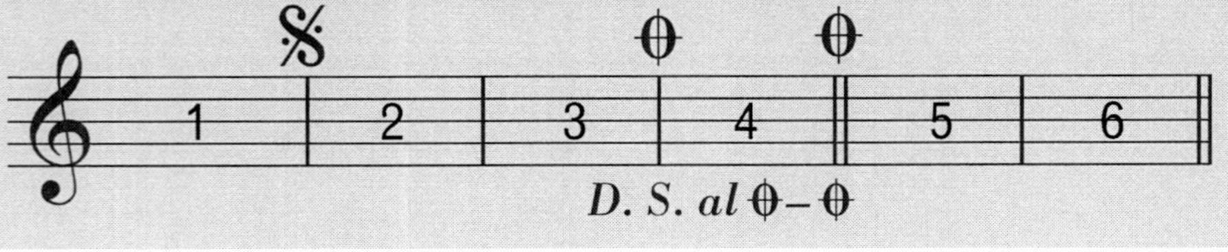

134 Was bedeutet D. C. al 𝄌 – 𝄌 ?

○ Wiederhole vom Anfang, spiele bis zum Wiederholungszeichen und springe zum Kopf.

○ Wiederhole vom Anfang, spiele bis zum Kopf 𝄌, und springe zum nächsten Kopf 𝄌.

Sechzehntelnote und Sechzehntelpause

 Sechzehntelnote

 Sechzehntelpause

Zähle: 1 - e - un - de | 2 - e - un - de | 3 - e - un - de | 4 - e - un - de

4 Sechzehntelnoten = zusammen 1 Viertelschlag

 einzeln mit 2 Fähnchen

zu mehreren mit 2 Balken

135 Ziehe Kreise um die Sechzehntelnoten und Sechzehntelpausen.

136 Schreibe auf, wie gezählt wird.

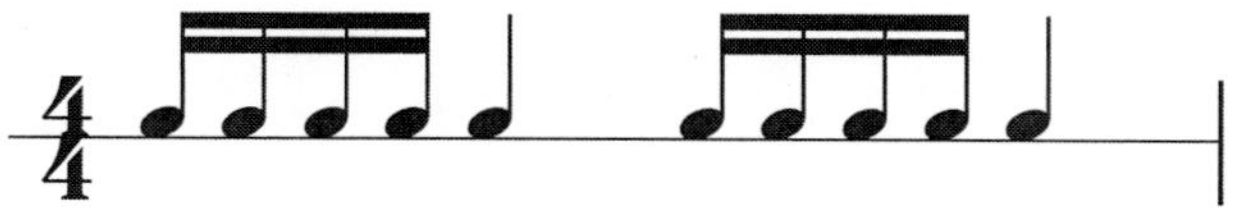

1 - e

Punktierte Achtelnote

 Punktierte Achtelnote = drei Sechzehntelschläge

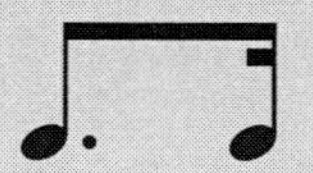 Punktierte Achtelnote mit Sechzehntelnote

1 - e - un - de

137 Wie viele Sechzehntelschläge haben diese Noten?

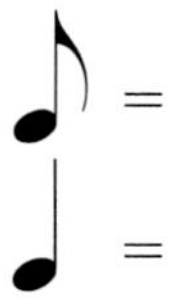

138 Kreuze die richtige Zählweise an.

○ 

1 2 3 4 5 6 7 8

○ 

1 2 3 4 5 6

○ 

1 - e-un-de 2 3-e-un-de 4

Alla-breve-Takt ¢

Grundschlag = 𝅗𝅥 ← $\frac{2}{2}$ → 2 Grundschläge pro Takt

¢ = $\frac{2}{2}$ = zwei Halbe (𝅗𝅥)-Takt

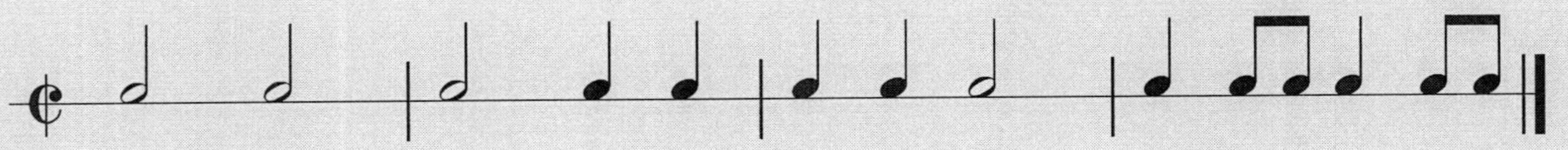

Zähle: 1 2 | 1 2 und | 1 und 2 | 1 un-de 2 un-de

139 Schreibe die Zählzeiten unter die Takte. Zähle in halben Noten.

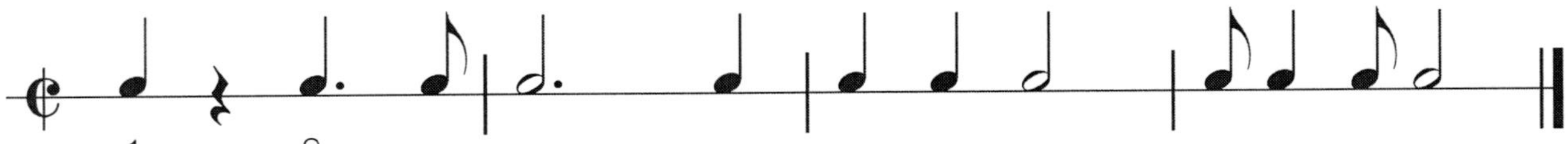

1 2

Sechsachteltakt

Grundschlag = ♪ ← $\frac{6}{8}$ → 6 Grundschläge pro Takt

Zähle: 1 2 3 4 5 6 | 1 2 3 4 5 6

140 Trage die Taktstriche ein und schreibe unter jeden Takt die Zählzeiten.

Achteltriole

Eine Viertelnote lässt sich sowohl in zwei (♩ = ♫) als auch in drei (♩ = $\overset{3}{♪♪♪}$) gleiche Notenwerte teilen. Wird sie dreigeteilt, entsteht eine Achteltriole.

= Achteltriole = zusammen 1 Viertelschlag

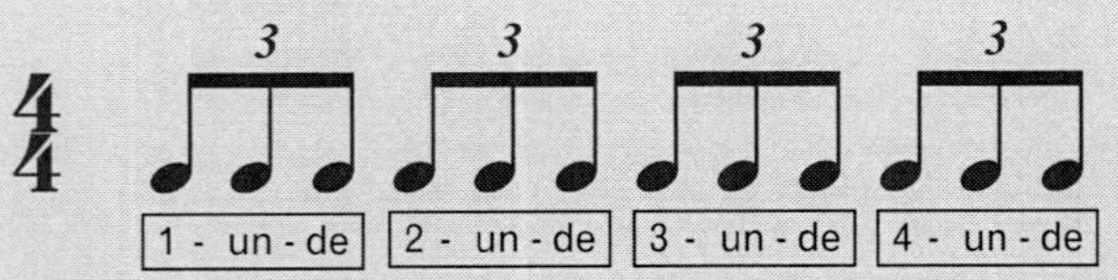

Die Triole wird durch eine kleine schräg gestellte *3* am Notenbalken gekennzeichnet.

141 Ziehe einen Kreis um die Achteltriolen.

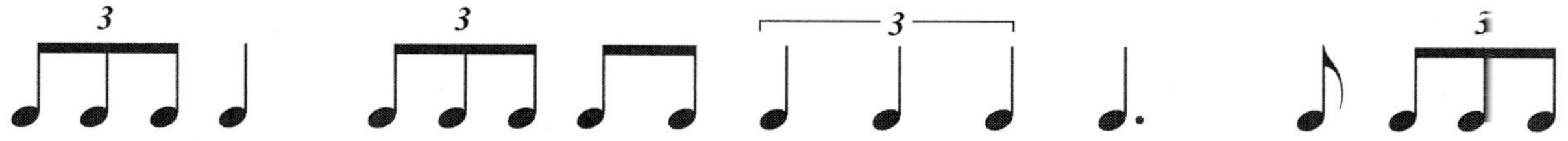

Vierteltriole

Eine halbe Note lässt sich sowohl in zwei (𝅗𝅥 = ♩ ♩) als auch in drei (𝅗𝅥 = ♩♩♩ mit 3) gleiche Notenwerte unterteilen. Wird sie dreigeteilt, entsteht eine Vierteltriole.

= Vierteltriole = zusammen 1 halbe Note

Die Triole wird durch eine Klammer bei den Notenhälsen und eine schräg gestellte *3* gekennzeichnet.

142 Ziehe einen Kreis um jede Vierteltriole.

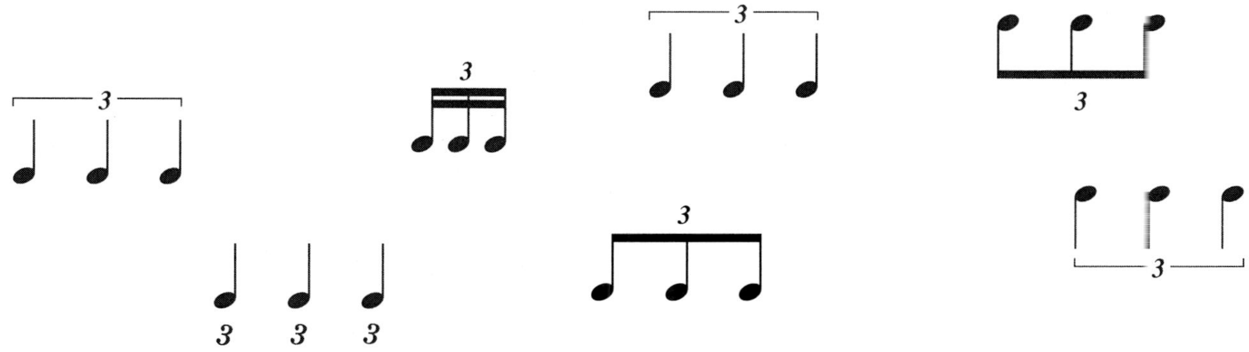

Synkope

Normale Taktbetonung im Viervierteltakt:

betone: 1 2 3 4 (1 und 3 unterstrichen)

Synkope = verschobene Taktbetonung:

betone: 1 2 3 4 (1 und 2 unterstrichen)

143 Unterstreiche jede betonte Zählzeit.

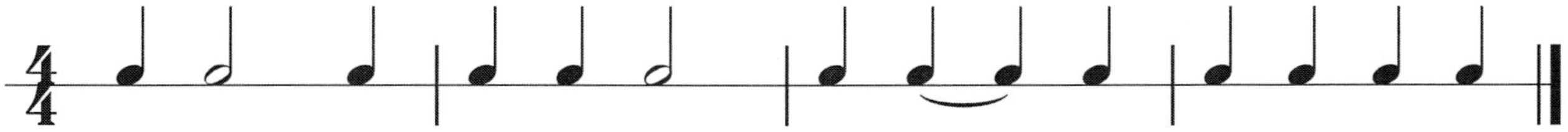

1 2 3 4 1 2 3 4 1 2 3 4 1 2 3 4

Oktavierungszeichen

Schreibweise: Spiele:

8va - - - - ┐ oder 𝄞 (mit 8 oben) bedeutet:

Spiele 8 Töne höher als notiert.

8vb - - - - ┘ oder 𝄞 (mit 8 unten) bedeutet:

Spiele 8 Töne tiefer als notiert.

144 Was bedeutet 8va - - - - ┐? Kreuze an.

◯ Oktavierungszeichen ◯ achteckige Noten ◯ spiele in Achteln

Oktav- und Stimmlagen der Streichinstrumente

Stimmlagen der Streichinstrumente

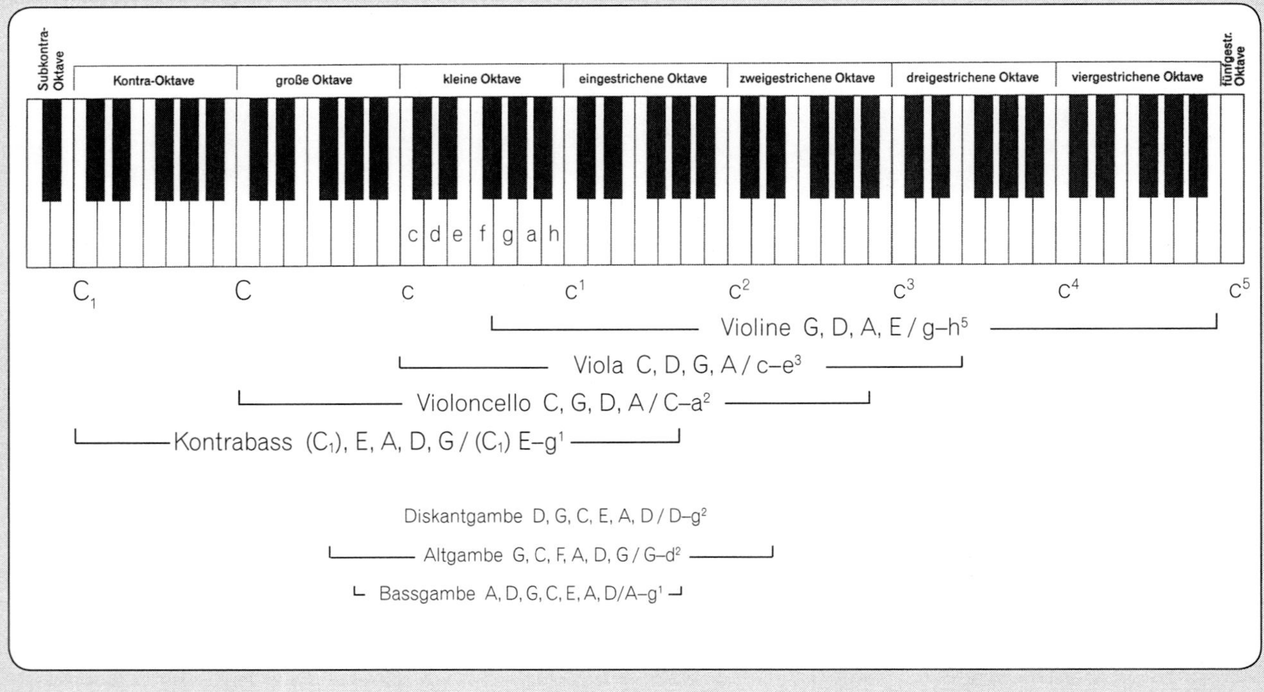

145 Bringe die Oktavbezeichnungen in die richtige Reihenfolge (nummeriere):

☐ kleine Oktave ☐ eingestrichene Oktave ☐ große Oktave

☐ dreigestrichene Oktave [1] Kontra-Oktave ☐ viergestrichene Oktave

☐ zweigestrichene Oktave

Lagen der Violine

Die **2. Lage** ist einen Ganzton höher als die 1. Lage. Der Arm wird in Richtung Geigenkorpus gebeugt.
Beispiel A-Saite: An die Stelle des 2. Fingers 1. Lage wird der 1. Finger gesetzt.

2. Lage

Fingersatz	0	x	1.	2.	3.	4. Finger
E	e^2	fis^2	g^2	a^2	h^2	c^3
A	a^1	h^1	**c^2**	**d^2**	**e^2**	**f^2**
D	d^1	e^1	f^1	g^1	a^1	b^1
G	g	a	b	c^1	d^1	es^1

Sattel — GT — HT — GT — GT — HT

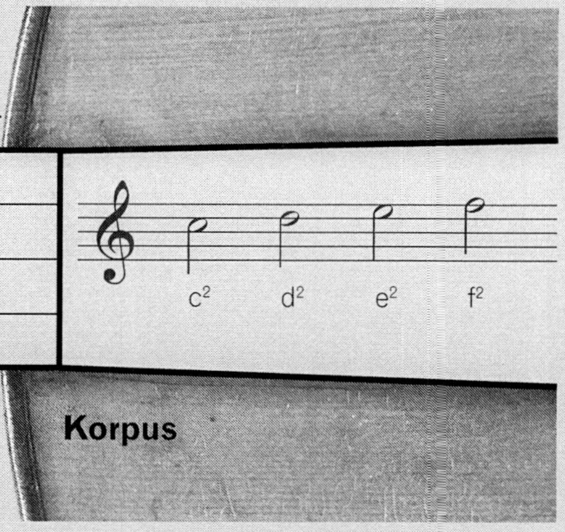

Die **3. Lage** ist einen Ganzton höher als 2. Lage. Der Arm wird weiter in Richtung Geigenkorpus gebeugt (noch keine Berührung mit der Zarge).
Beispiel A-Saite: An die Stelle des 3. Fingers 1. Lage (oder 2. Finger 2. Lage) wird der 1. Finger gesetzt.

3. Lage

Fingersatz	0	x	x	1.	2.	3.	4. Finger
E	e^2	fis^2	g^2	a^2	h^2	c^3	d^3
A	a^1	h^1	c^2	**d^2**	**e^2**	**f^2**	**g^2**
D	d^1	e^1	f^1	g^1	a^1	b^1	c^2
G	g	a	b	c^1	d^1	es^1	f^1

Sattel — GT — HT — GT — GT — HT — GT

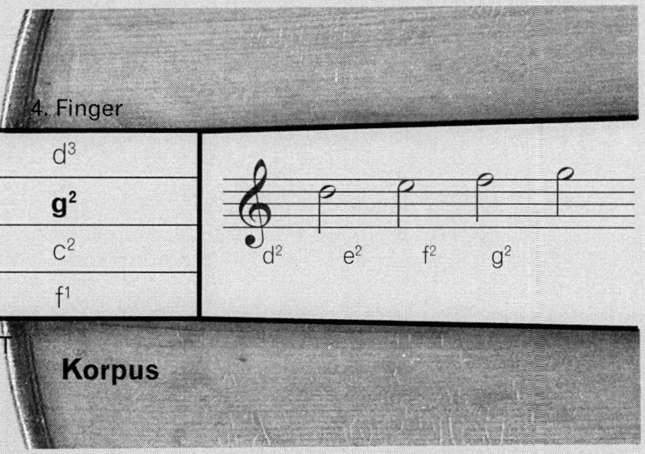

Die höheren Lagen (ab 4. Lage)
Je höher die Lage, desto enger sitzen die Finger aneinander. Die normale Griffposition – die Fingerkuppen werden von oben auf das Griffbrett gesetzt – macht es notwendig, dass der Arm noch stärker gebeugt werden muss. Der Daumenballen berührt (bis 7. Lage) die Zarge bzw. stützt sich an dieser ab (höchste Lagen) und die Hand wird höher gestellt, damit die Finger die richtige Position auf der Saite erreichen können.

Die **halbe Lage** ist einen Halbton tiefer als die 1. Lage. Der Arm wird in Richtung Schnecke geöffnet, die Fingerstellung ist weiter als in der 1. Lage.

Der Lagenwechsel
Das Erreichen der verschiedenen Lagen wird mit einer gleitenden und geschmeidigen Bewegung der linken Hand ausgeführt. Der normale Fingerdruck wird gelöst, bis der Zielton der neuen Lage erreicht ist.

Feinbestimmung der Intervalle

Durch die Ganz- und Halbtoneinteilung der Tonleitern haben gleichnamige Intervalle oft unterschiedliche Tonabstände, man muss sie daher genauer bestimmen.
– Es gibt *kleine, große, reine, übermäßige* und *verminderte* Intervalle.
– Werden große und reine Intervalle erweitert, nennt man sie *übermäßig.*
– Werden reine oder kleine Intervalle verkleinert, nennt man sie *vermindert.*

Grundintervall	*Feinbestimmung*		
Prime	reine Prim = 0 HT 		
Sekunde	kleine Sekunde = 1 HT 	große Sekunde = 2 HT 	
Terz	kleine Terz = 3 HT 	große Terz = 4 HT 	
Quarte	verminderte Quarte = 4 HT 	reine Quarte = 5 HT 	Tritonus übermäßige Quarte = 6 HT 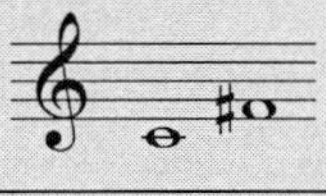
Quinte	Tritonus verminderte Quinte = 6 HT 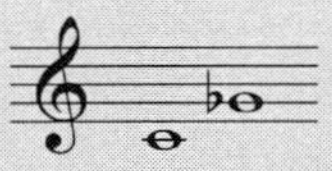	reine Quinte = 7 HT 	übermäßige Quinte = 8 HT 
Sexte	kleine Sexte = 8 HT 	große Sexte = 9 HT 	
Septime	kleine Septime = 10 HT 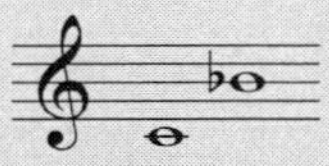	große Septime = 11 HT 	
Oktave	reine Oktave = 12 HT 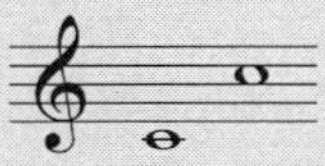		

146 Vergrößert man den Abstand einer kleinen Sekunde um einen Halbton, so entsteht eine:

____

147 Verkleinert man den Abstand einer großen Sexte um einen Halbton, so entsteht eine:

____

Flageolett-Töne

Das *natürliche* Flageolett wird durch die Berührung der schwingenden Saite mit einem Finger erzeugt. Die normale Grundschwingung wird gestoppt und die 1., 2., 3. … Teilschwingung kann erklingen.

Die Grundschwingung klingt (a^1, leere Saite).

Die 1. Teilschwingung klingt (a^2, ein Finger berührt die Saite zwischen Sattel und Steg in der Mitte).

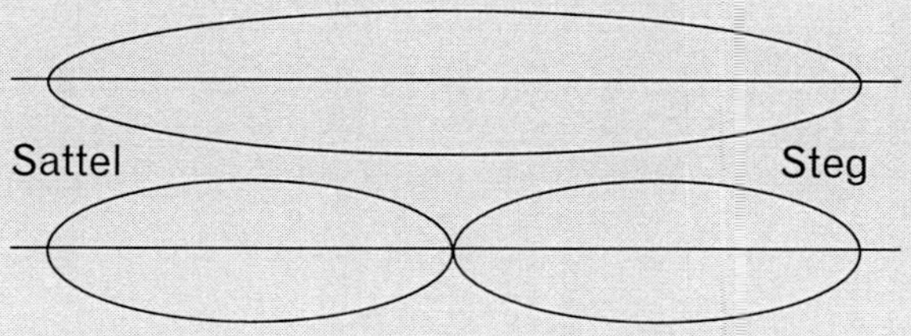

Das *künstliche* Flageolett wird mit zwei Fingern erzeugt. Ein Finger greift und ein höherer Finger berührt die Saite.

1. Finger greift a (G-Saite), 4. Finger berührt d^1 (G-Saite) = a^2 

Die Schreibweise:  natürliches Flageolett  künstliches Flageolett

148 Flageolett-Töne klingen in der Regel ◯ höher

◯ tiefer als normal gegriffene Töne.

Verzierungen

Durch Verzierungen (z. B. Triller) werden Melodieverläufe ausgeschmückt. Trillern bedeutet, dass man einen Ton und den nächst höheren mehrmals schnell hintereinander spielt und dabei bindet.

Zigeunertonleiter

Es gibt zwei folkloristische, sogenannte Zigeunertonleitern (Dur und Moll), die durch ihre übermäßigen Sekundschritte einen orientalischen Anklang haben.

Moll-Tonleiter (auch *ungarische* Tonleiter)

Dur-Tonleiter (auch *arabische* Tonleiter)

Harmonisches und melodisches Moll

Erhöht man die 7. Stufe einer natürlichen Moll-Tonleiter, so entsteht eine harmonische Moll-Tonleiter. Wird zusätzlich auch noch die 6. Stufe erhöht, erhält man die melodische Moll-Tonleiter. Abwärts werden beim melodischen Moll die Erhöhungen wieder aufgelöst, es entspricht dann dem natürlichen Moll.

natürliches Moll

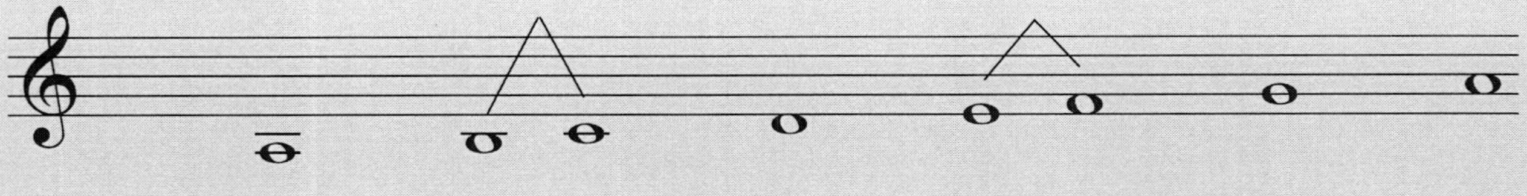

harmonisches Moll

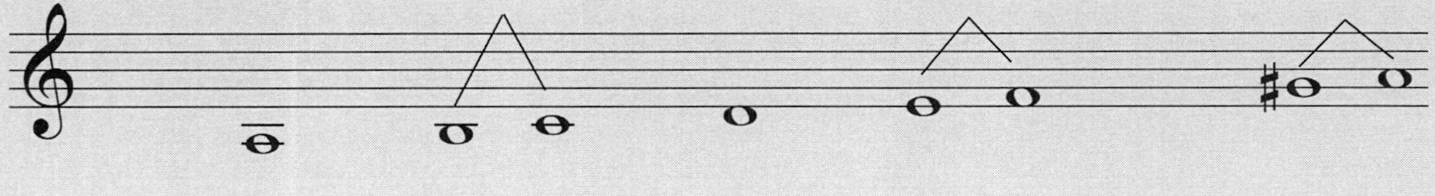

melodisches Moll aufwärts

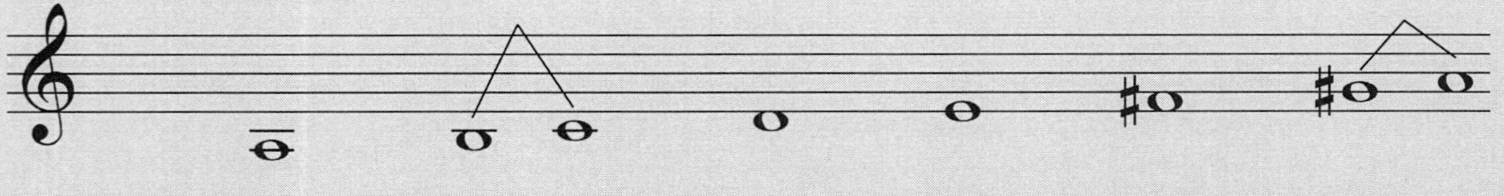

Dur und Moll im Überblick

Tonleiter	*1. Halbtonschritt*	*2. Halbtonschritt*	*3. Halbtonschritt*
Dur	3–4	7–8	
nat. Moll/äolisch	2–3	5–6	
harmonisches Moll	2–3	5–6	7–8
melodisches Moll aufwärts	2–3	7–8	
melodisches Moll abwärts	2–3	5–6	

Dreiklang

Der Dreiklang ist ein Akkord. Er besteht aus drei Tönen, die harmonisch zusammen klingen: Grundton, Terz und Quinte. Die Töne des Dreiklangs bilden zwei übereinander stehende Terzen.

C-Dur-Dreiklang

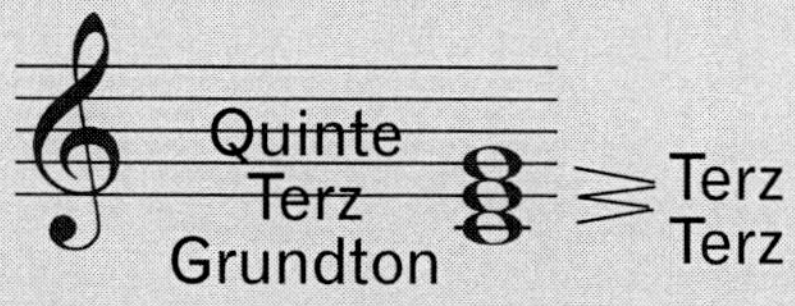

Die Dreiklänge auf den Stufen der C-Dur-Tonleiter:

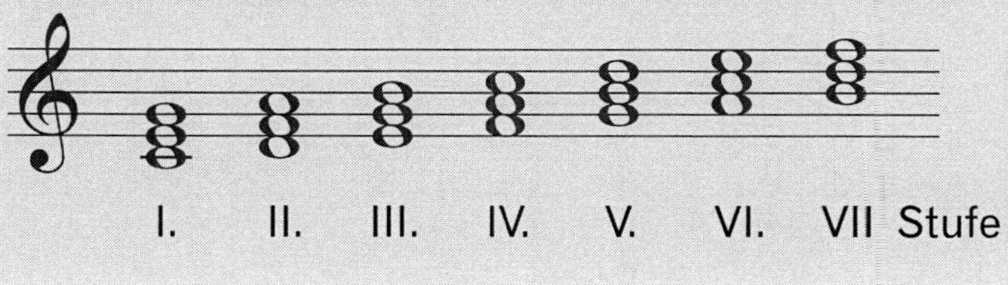

149 Kreuze die drei richtigen Antworten an.

- ◯ Der Dreiklang besteht aus zwei übereinander stehenden Terzen.
- ◯ Der Dreiklang ist eine Tonleiter.
- ◯ Der Dreiklang besteht aus Grundton, Terz und Quinte.
- ◯ Der Dreiklang besteht aus drei nebeneinander liegenden Tönen.
- ◯ Der Dreiklang ist ein Akkord.

150 Bilde Dreiklänge über diesen Tönen.

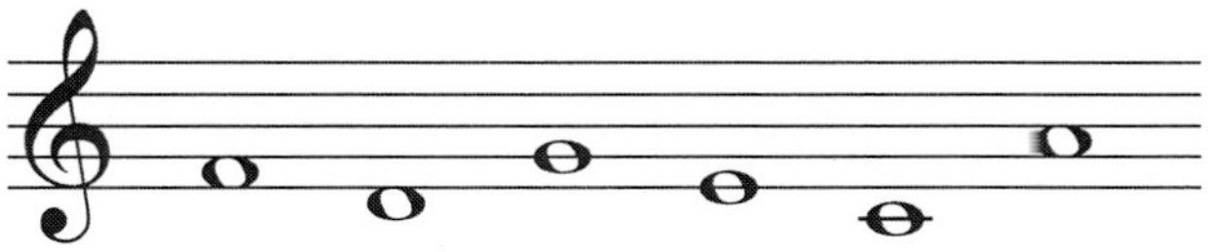

Dur- und Moll-Dreiklang

Dur-Dreiklang

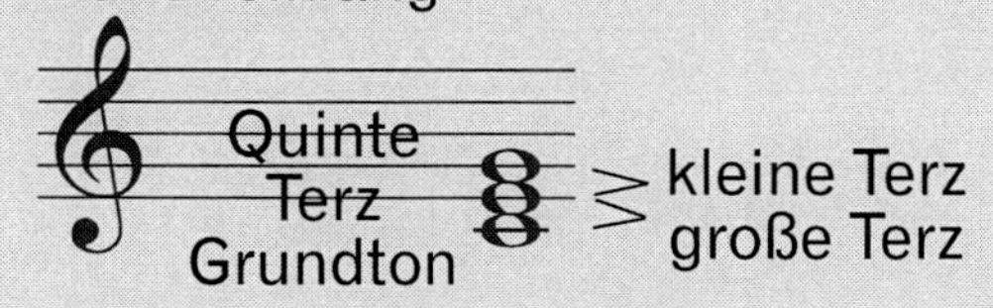

Moll-Dreiklang

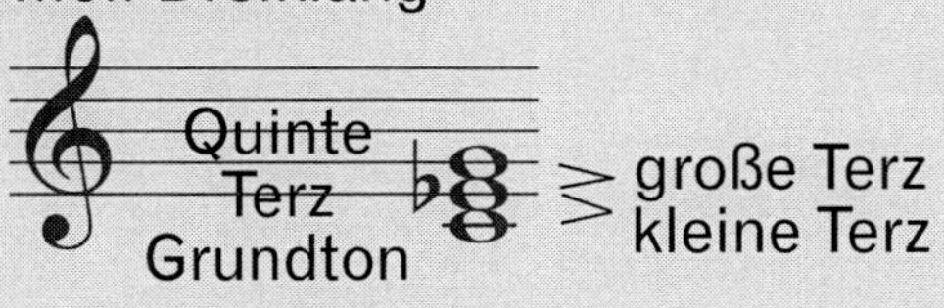

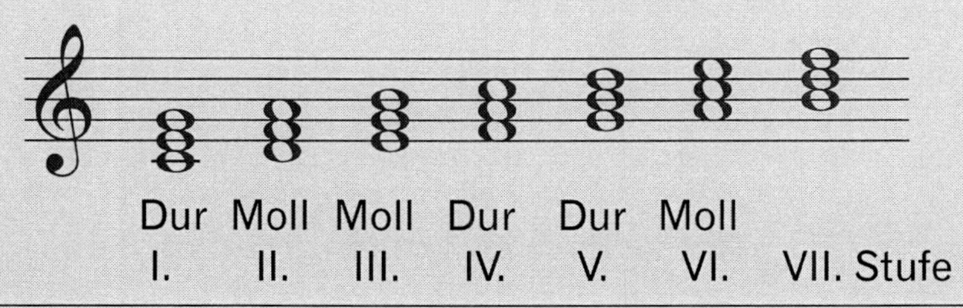

151 Ziehe Kreise um die Dur-Dreiklänge.

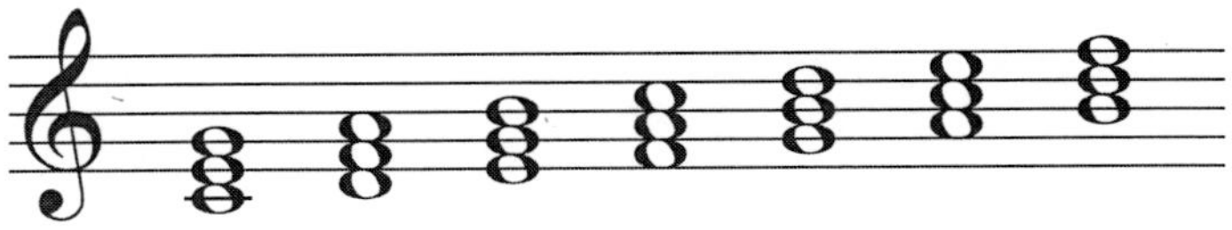

152 Bilde aus dem Dur-Dreiklang einen Moll-Dreiklang.

C c-Moll

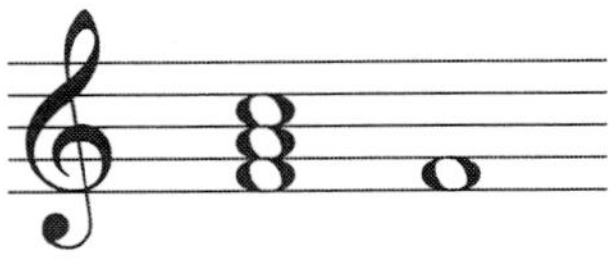

F f-Moll

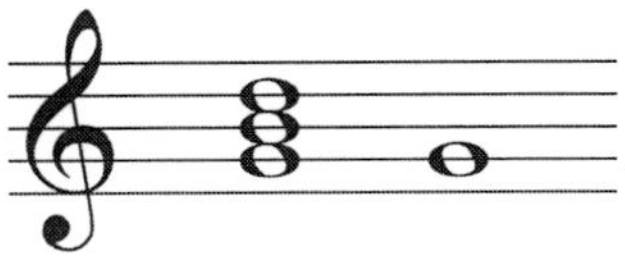

G g-Moll

Umkehrungen des Dreiklangs

Die Reihenfolge der Dreiklangstöne kann umgekehrt werden. Dabei wird jeweils der unterste Ton eines Dreiklangs um eine Oktave höher gesetzt.

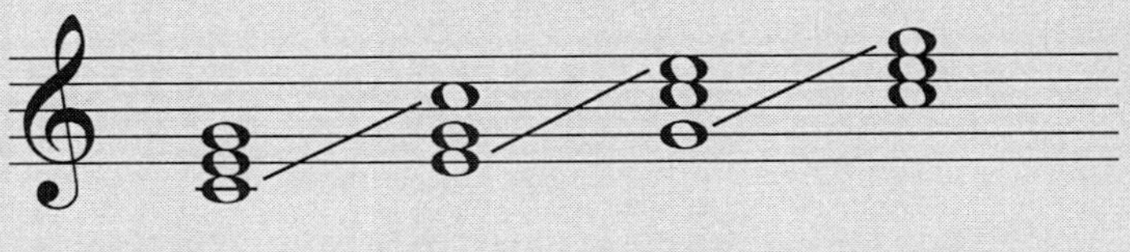

Der Dreiklang kommt in drei verschiedenen Umkehrungen vor: Grundstellung, 1. Umkehrung und 2. Umkehrung.

Quinte
Terz
Grundton

Grundstellung

Grundton
Quinte
Terz

1. Umkehrung

Terz
Grundton
Quinte

2. Umkehrung

153 Verbinde.

1. Umkehrung

Grundstellung

2. Umkehrung

Hauptdreiklänge

Auf jeder Stufe der Tonleiter kann ein Dreiklang gebildet werden. Die wichtigsten Dreiklänge stehen auf der I., IV. und V. Stufe und werden Hauptdreiklänge genannt.

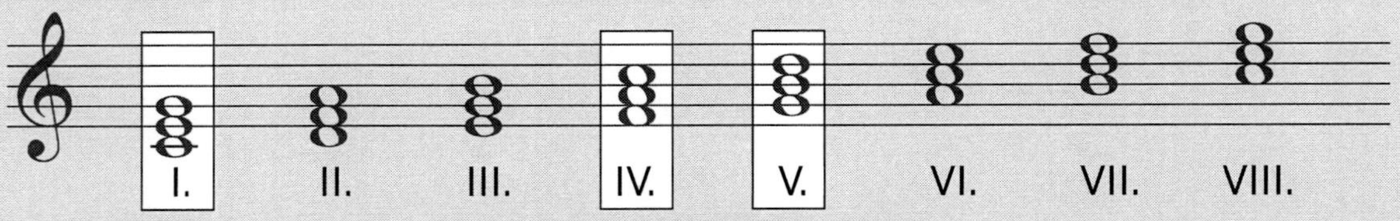

Tonika Subdominante Dominante

Die meisten Lieder in C-Dur können mit diesen Akkorden begleitet werden.

Kadenz

Die Verbindung der Hauptdreiklänge nennt man Kadenz. Die Kadenz in C-Dur:

Auf der V. Stufe steht meist ein Septim-Akkord (V^7, Vierklang aus drei übereinander stehenden Terzen).

154 Auf welchen Stufen stehen die Hauptdreiklänge?

○ I. Stufe ○ II. Stufe ○ III. Stufe ○ IV. Stufe ○ V. Stufe

Quintenzirkel und Paralleltonarten

Hier sind alle Tonarten im Abstand von 5 Tönen (Quinten) angeordnet (Großbuchstaben = Dur, Kleinbuchstaben = Moll). Die sich gegenüberliegenden Moll- und Dur-Tonarten stehen im Abstand einer kleinen Terz zueinander und haben dieselben Vorzeichen. Sie werden Paralleltonarten genannt.

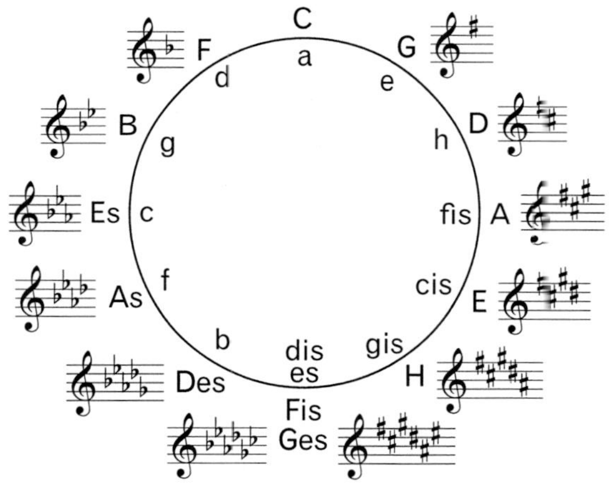

Um sich die Reihenfolge der Akkorde besser merken zu können, kann man sich die Anfangsbuchstaben mit Hilfe von Sätzen einprägen, z. B.:

♯-Seite: **G**eh **D**u **A**lter **E**sel **H**ole **Fis**che
♭-Seite: **F**rische **B**rötchen **Es**sen **As**sessoren **Des** **Ges**anges

155 Erfinde eigene Sätze mit den Anfangsbuchstaben der Tonarten aus dem Quintenzirkel.

(♯) G ________ D ________ A ________ E ________ H ________ Fis ________

(♭) F ________ B ________ Es ________ As ________ Des ________ Ges ________

Bezeichnungen für Tempoänderungen

rit. = *ritardando*	=	langsamer werden
acc. = *accelerando*	=	schneller werden
a tempo	=	im ursprünglichen Tempo
ritenuto	=	plötzlich langsamer werden
stringendo	=	schneller werden

156 Verbinde:

im ursprünglichen Tempo

a tempo

rit.

acc.

ritardando

schneller werden

Diatonische und chromatische Tonleitern

Eine diatonische Tonleiter beinhaltet nur die leitereigenen Töne, eine chromatische Tonleiter enthält zusätzlich die Zwischentöne.

Chromatische Tonleiter aufwärts mit Kreuzvorzeichen:

c^1 cis^1 d^1 dis^1 e^1 f^1 fis^1 g^1 gis^1 a^1 ais^1 h^1 c^2 cis^2 d^2 dis^2 e^2 f^2 fis^2 g^2 gis^2 a^2 ais^2 h^2 c^3

157 Schreibe die chromatische Tonleiter von c^1–c^2 mit Kreuzvorzeichen aufwärts.

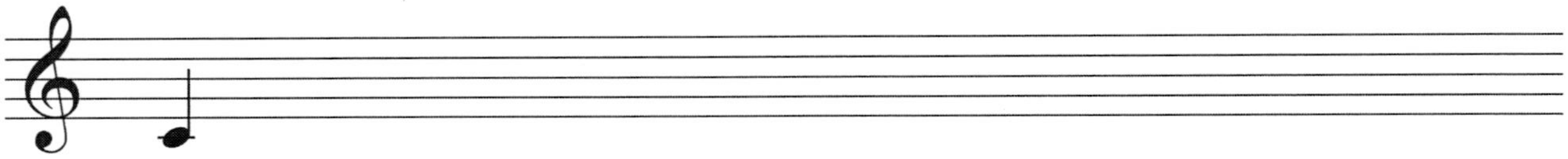

Vibrato

Das Vibrato bei den Streichinstrumenten wird durch Hin- und Herbewegungen des Fingers (Ton bleibt fixiert) auf einer Saite erzeugt. Der Finger schwingt durch Bewegung von Arm, Handgelenk und Finger. Der gespielte Ton „wackelt", er schwankt in der Tonhöhe und ist nicht mehr „geradlinig". Das Vibrato ist ein Stilmittel, welches höchst individuell eingesetzt werden kann. Nur gelegentlich wird es als Spielanweisung angezeigt.

158 Das Vibrato auf der Geige wird erzeugt durch

○ Zupfen der Saiten ○ Bewegen der Saiten ○ Bewegen der Finger

Stricharten und besondere Spielanweisungen

Détaché (frz. abgetrennt) ist die Grundstrichart. Für jede Note wird die Strichrichtung gewechselt (Mitte bis obere Hälfte des Bogens). Der Bogenwechsel (zwischen Ab- und Aufstrich des Bogens) sollte dabei nahezu unhörbar sein.

Legato (Schreibweise = ⌒) ist die verbindende Strichart. Es werden Töne aneinander gebunden, es gibt keinen Bogenwechsel.

Portato (ital. getragen, Schreibweise = ⌒ mit Strichen) ist der unterbrochene Legatostrich. Der Bogen wird in eine Richtung bewegt und dabei kurz angehalten.

Martelé (frz. gehämmert, Schreibweise = ▾ ▾ ▾ ▾) Der Bogenstrich beginnt druckvoll, mit Akzent (ähnlich dem Staccato).

Akzent (Schreibweise = >) ist die Bezeichnung für einen am Anfang lauten Ton, der sofort nach dem Erklingen leiser wird.

Staccato (Schreibweise = · · · ·) eine kurze Note soll gespielt werden. Kann auch mehrere Töne in eine Strichrichtung (Schreibweise = ⌒ mit Punkten) beinhalten.

Springbogen/Wurfbogen:

Spiccato (ital. hervorstechend) mit dem Zurückschnellen des Bogens, dem Federn der Bogenstange, wird ein kurzer, je nach Ausführung, weicher (Bogen wird „gekantet" – nur wenige Haare berühren die Saite) oder scharfer (viele Bogenhaare berühren die Saite) Ton erzeugt.

Sautillé (frz. springen, hüpfen) unterscheidet sich vom Spiccato durch die schnellere Geschwindigkeit der Auf- und Abstriche.

Ricochet (frz. abprallen) der Bogen prallt auf die Saite und federt zurück. Die Ausführung geschieht weitestgehend mit einer passiven Bogenkontrolle des Spielers. Die Eigenschwingung des Bogens und die Spannung der Bogenhaare werden ausgenutzt. Das kann in einer Strichrichtung oder in Ab- und Aufstrich ausgeführt werden.

Tremolo (Schreibweise = 𝅗𝅥 mit Tremolostrichen) kurze, möglichst schnelle Auf- und Abstriche auf einem Ton.

Col legno battuto Mit dem Bogenholz die Saite anschlagen (Bogen muss gedreht werden).

Col legno tratto Mit dem Bogenholz die Saite streichen.

sul ponticello Nah am Steg streichen. Der Ton klingt scharf und metallisch.

sul tasto (frz. sur la touche) Der Bogen streicht die Saiten über dem Griffbrett. Eine rauchige, dunkle Tonfarbe entsteht.

Flautando, flautato Ebenfalls auf dem Griffbrett zu streichen, aber mit geringerem Bogendruck und höherer Strichgeschwindigkeit.

ord. (ital. ordinario, normal) Nach besonderen Spieltechniken (z. B. sul tasto) wieder normaler Bogenstrich.

con sord. (con sordino) Mit Dämpfer spielen (Schreibweise = ⊓⊓)

senza sord. (senza sordino) Ohne Dämpfer (Schreibweise = ⊔⊔)

pizz. (pizzicato, ital. gezwickt, gezupft) Mit den Fingern der Bogenhand (Zeigefinger) oder der Griffhand (Schreibweise: +) die Saite zupfen.

Bartók-Pizzicato (Schreibweise: ⏻) Die Saite wird mit zwei Fingern angehoben und schlägt auf das Griffbrett. Zusätzlich zum gezupften Ton ertönt ein knallendes Geräusch.

coll'arco/arco Meist nach pizz. der Hinweis, wieder normal mit dem Bogen zu streichen.

Arpeggio: (Schreibweise =)
Ein mehrstimmiger Akkord soll „harfenartig" gespielt werden. Der Bogen wird über mehrere Saiten geführt und es erklingt ein gebrochener Akkord.

Bassinstrumente

Das **Violoncello** ist vielfältig einsetzbar. Der enorme Tonumfang (5 Oktaven) und die klanglichen Eigenschaften lassen es einerseits die Bassstimmen spielen, andererseits ebenso die schönsten Melodien. Es wird in sitzender Haltung gespielt und das Gewicht wird durch einen Stachel (kann im Instrument „versteckt" werden) in den Boden abgeleitet.
Die vier Saiten heißen C, G, D und A. Hauptsächlich werden die Noten im Bassschlüssel notiert, aber auch Tenor- und Violinschlüssel werden benutzt. Instrumentengrößen für die unterschiedlichen Körpergrößen sind 4/4, 7/8, 3/4, 1/2, 1/4, 1/8. Der Bogen ist 70 cm lang und wiegt ca. 80g.

Der **Kontrabass** ist das größte Streichinstrument. Mit ihm kann die Kontraoktave gespielt werden. Im Stehen oder auch im Sitzen gespielt, wird die Höhe durch einen verstellbaren Stachel an die Körpergröße angepasst.
Die (fünf) vier Saiten sind in Quarten gestimmt und heißen (C), E, A, D, G.
Es gibt unterschiedliche Größen des Kontrabasses. Die normale Größe ist der 3/4-Bass mit einer Mensurlänge von ca. 104 cm. Der Bogen ist 70 cm lang und wiegt ca. 125 g.

Wissenstraining 3

159 Verbinde die Takte mit der Reihenfolge, in der sie gespielt werden.

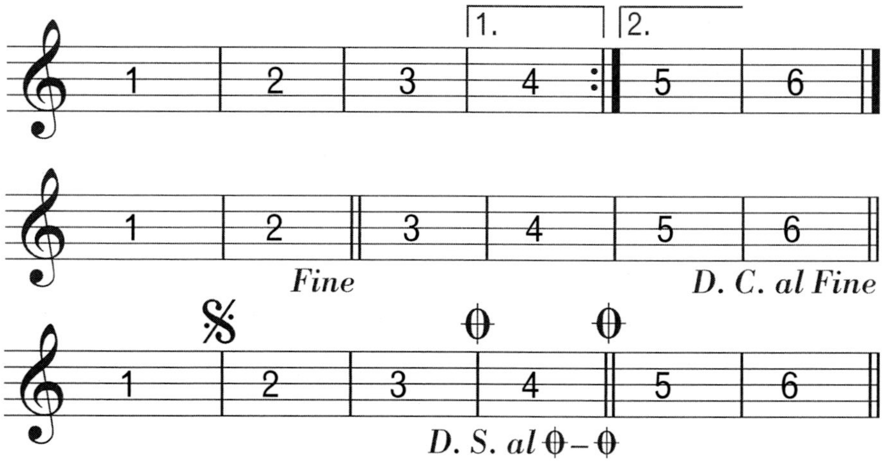

Reihenfolge:
1 2 3 4 2 3 5 6

Reihenfolge:
1 2 3 4 1 2 3 5 6

Reihenfolge
1 2 3 4 5 6 1 2

160 Schreibe die Viertel-Grundschläge unter jeden Takt.

161 Trage die Vorzeichen ein.

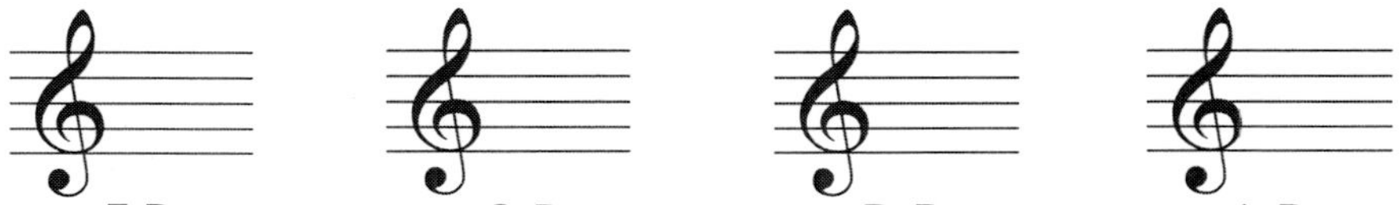

F-Dur G-Dur D-Dur A-Dur

162 Schreibe die entsprechenden Notenwerte über die Zählzeiten.

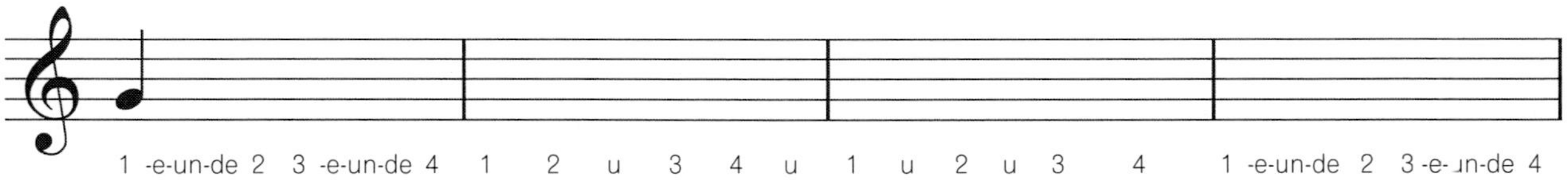

1 -e-un-de 2 3 -e-un-de 4 1 2 u 3 4 u 1 u 2 u 3 4 1 -e-un-de 2 3 -e-un-de 4

163 Streiche die falschen Takte durch.

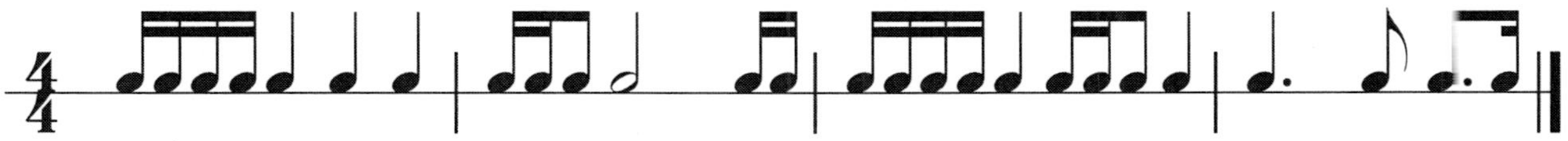

164 Verbinde:

1. Finger
3. Lage
G-Saite

3. Finger
2. Lage
A-Saite

4. Finger
3. Lage
E-Saite

165 Ändere die oberen Töne durch ♯, ♭ oder ♮ so, dass die angegebenen Intervalle entstehen.

überm. Quarte | kleine Terz | vermind. Quinte | große Sekunde | kleine Septime

166 Benenne die Intervalle.

______ ______ ______ ______ ______ ______

167 Ziehe die Taktstriche.

168 Bestimme die Intervalle zwischen den Tönen.

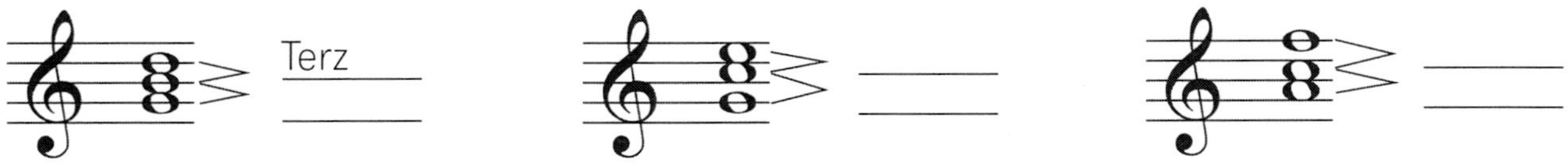

169 Verbinde die richtigen Wortteile.

rit-	*inuendo*
acc-	*ardando*
dim-	*endo*
cresc-	*elerando*
string-	*endo*

170 Wo liegt die 3. Lage?

◯ 2 Töne höher ◯ 3 Töne höher ◯ 1 Ton tiefer – als die 1. Lage.

171 Kreuze die richtige Notation für Flageolett-Töne an.

172 Wie heißen die Noten?

___ ___ ___ ___ ___ ___ ___ ___ ___ ___ ___ ___ ___ ___

173 Wie nennt man Dur- und Moll-Tonarten mit den gleichen Vorzeichen? Kreuze an:

○ Kreuz-Tonarten ○ Paralleltonarten ○ Be-Tonarten

174 Zähle die Notenwerte jeder Zeile zusammen.

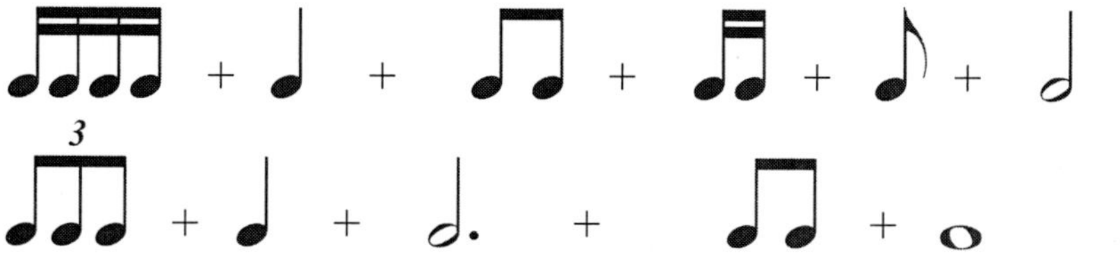

= ___ Viertel-Grundschläge

= ___ Viertel-Grundschläge

175 Schreibe die Noten.

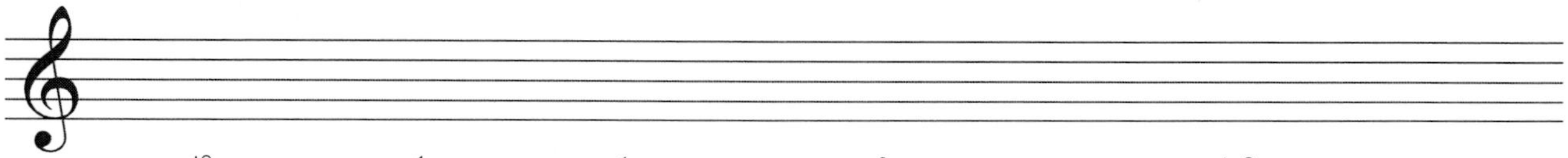

d²	a¹	c¹	f	h²	g
Viertelnote	halbe Note	Achtelnote	punktierte halbe Note	ganze Note	Achtelnote

176 Schreibe die Zählzeiten unter die Noten.

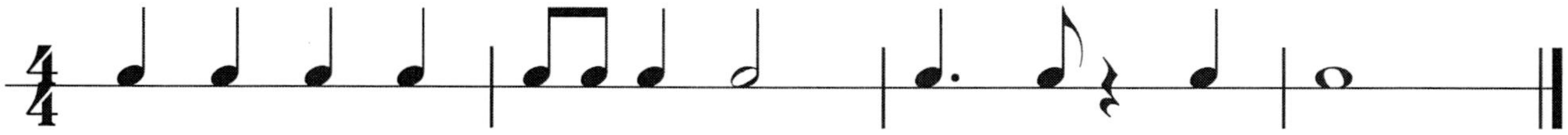

177 Benenne die folgenden Dur- und Moll-Akkorde.

___ ___ ___ ___ ___ ___

178 Trage die Namen der Intervalle in die Kästchen ein, beachte die Feinbestimmung.

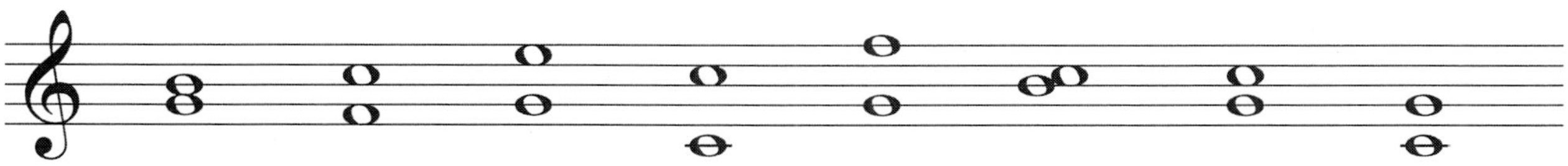

179 Ergänze den Schlusstakt mit Viertelnoten, so dass Auftakt und Schlusstakt zusammen einen vollständigen Takt ergeben.

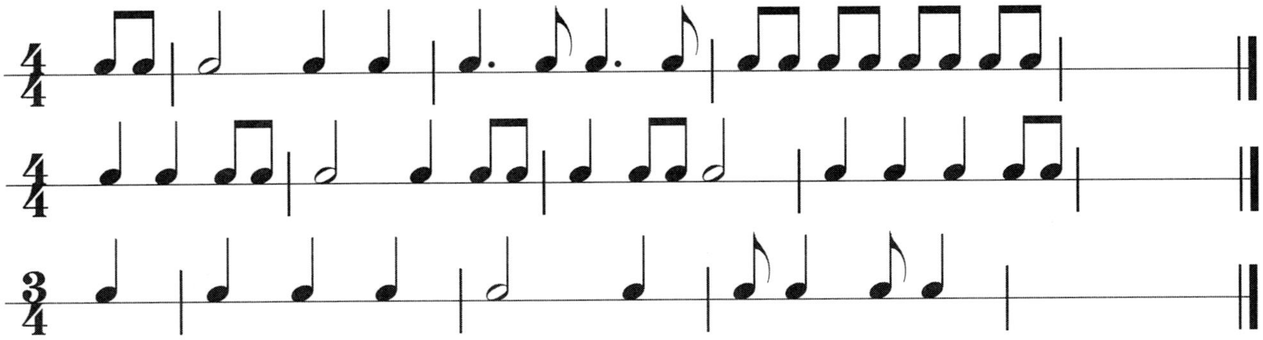

180 Verbinde jede Note mit der entsprechenden Pause und Zahl der Viertelschläge.

1/4 Schlag

1/2 Schlag

1 Schlag

2 Schläge

4 Schläge

181 Benenne die zu den Vorzeichen gehörenden Dur- und Moll-Tonarten

 = ___Dur/___Moll

 = ___Dur/___Moll

 = ___Dur/___Moll

182 Schreibe folgende Noten:

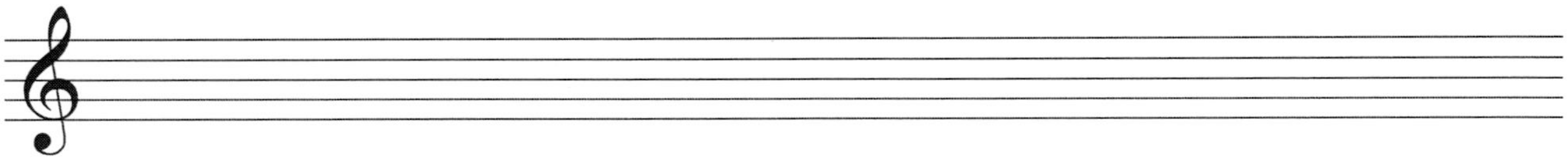

fis^1 a^1 d^1 e^2 c^1 gis^1 h fis^2 c^2 as d^2 e^1

183 Wie heißen die Saiten?

Kontrabass: ____ ____ ____ ____ Violoncello: ____ ____ ____ ____

184 Verbinde:

Martelé ***Spiccato*** ***Legato***

gebunden gehämmert geworfen

Grifftabelle Violine

Die Grifftabelle ist als kleine Hilfe gedacht, die Finger auf dem Griffbrett zu positionieren. Die genaue Intonation wird durch häufiges und stetiges Üben und Spielen mit Hilfe des Gehörs erfahren und erlernt.

	Fingersatz	**0** leere Saite	**1.** Finger		**2.** Finger		**3.** Finger		**4.** Finger	
	Position (1. Griffart)		**tief**	**hoch** (normal)	**tief**	**hoch** (normal)	**tief** (normal)	**hoch**	**tief**	**hoch** (normal)
E-Saite		e^2	eis/f	fis/ges	g	gis/as	a	ais/b	ais/b	h/ces
A-Saite		a^1	ais/b	h/ces	c	cis/des	d	dis/es	dis/es	e/fes
D-Saite		d^1	dis/es	e/fes	eis/f	fis/ges	g	gis/as	gis/as	a
G-Saite		g	gis/as	a	ais/b	h/ces	c	cis/des	cis/des	d

Sattel **Korpus**

In jeder Griffart ist die normale Position eines Fingers entweder hoch oder tief. In der Grifftabelle wurde beispielhaft die 1. Griffart mit normal angegeben.

Lexikon der musikalischen Begriffe

Absolutes Gehör = das Hören der Tonhöhe jeder Note ohne einen äußeren Bezugspunkt
Abstrich = mit dem Bogen von Frosch zur Spitze streichen
accelerando, accel., = beschleunigen, schneller werden
adagio = langsam
ad libitum (ad lib., ital.)= nach Belieben (frei im Rhythmus und Tempo)
agitato (ital.) = unruhig, erregt
Agogik = die kleinen Temposchwankungen innerhalb der Musik, die sich beim Vortrag ergeben und nicht vom Komponisten angegeben sind
Akkord = Zusammenklang von mindestens drei Tönen verschiedener Tonhöhe
Akzent = Betonung einer Note, Bezeichnung durch <, ***sf***, ***sfz***, ...
al Fine = bis zum Ende
alla breve (ital.) = 2/2-Takt, wird auch als durchgestrichenes C notiert
allargando = breiter werden
allegretto = mäßig schnell
allegro = schnell, lebhaft
andante = langsam, gehend, in ruhigem Tempo
andantino = etwas bewegter als andante
animato (ital.) = beseelt, belebt
appassionato (ital.) = leidenschaftlich
arco (ital.) coll'arco = mit dem Bogen
Arpeggio (ital.) = ein gebrochener Akkord (harfenartige Spielweise)
Artikulation = Aussprache; verschiedene Spielarten (legato, staccato ...)
assai = sehr
a tempo = (wieder) im Anfangs- bzw. Grundtempo
Auflösungszeichen = die Auflösung eines Vorzeichens
Aufstrich = mit dem Bogen von der Spitze zum Frosch streichen
Auftakt = ein unbetonter Taktteil vor dem ersten ganzen Takt eines Musikstückes
Bindebogen = ein Bogen, der zwei Noten verbindet
cantabile = sanglich, gesangvoll
Chromatik = Einteilung der Oktave in 12 Halbtöne, so dass eine chromatische Tonleiter entsteht, z. B. c, cis, d, dis, e, f, fis, g, gis, a, ais, h
Coda = Anhang
col legno battuto = mit dem Holz des Bogens schlagen
col legno tratto = mit dem Holz des Bogens streichen
con brio = mit Schwung
con espressione = mit Ausdruck
con fuoco (ital.) = mit Feuer
con moto = mit Bewegung
con sordino (ital.) = mit Dämpfer zu spielen
con tutta la forza = mit ganzer Kraft
corda, corde = Saite(n)
crescendo, cresc. = allmählich lauter werden
D. C. al Fine, Da Capo al Fine = wiederhole vom Anfang und spiele bis zum Ende (Fine)
decrescendo, decresc. = allmählich leiser werden
Détaché (franz.) = unterbrochener Bogenstrich bei Streichinstrumenten
Diatonik = leitereigene Töne ohne chromatische Zwischentöne
diminuendo, dim. = Lautstärke verringern, leiser werden
Dissonanz = ein Klang (Intervall oder Akkord), der Spannung in sich trägt und nach Auflösung in die Konsonanz strebt
dolce = süß, sanft
D. S. al Fine, Dal Segno al Fine, wiederhole vom Zeichen 𝄋 und spiele bis zum Ende (Fine)
Duo (ital.) = Instrumentalkomposition für zwei Musiker
Einklang = (ital. unisono) – Klang von zwei oder mehreren gleichhohen Tönen.
Encore = (franz.) noch einmal
energico = kräftig, energisch
enharmonisch = Umdeutung von zwei Noten (Des=Cis)
espressivo = ausdrucksvoll
Etüde (franz.) = Übungsstück
Fermate, 𝄐 = Haltezeichen, verlängert Noten und Pausen über ihren eigentlichen Zeitwert hinaus
Fidel = ältere Bezeichung für Geige
Fine (ital.) = Ende
flautato (ital.) = Streichen der Saite nahe oder auf dem Griffbrett
forte, ***f*** = laut
fortepiano = ***fp***, stark betont, aber sofort wieder leise.

fortissimo, *ff* = sehr laut
Frosch = Bogenende mit Schraube
fuoco (ital.) = feurig
Generalpause (GP) = alle Stimmen haben Pause
Generalprobe = letzte Probe vor der Aufführung
glissando (gliss.) = Gleiten auf der Saite
Grave = schwer, langsam
Haltebogen = Bogen, der zwei Noten gleicher Tonhöhe miteinander verbindet. Die erste Note wird gespielt, die übergebundene Note nur ausgehalten
Improvisieren = Musik ohne Vorbereitung erfinden und gleichzeitig darbieten
Interpretation = Ausdeutung
Intervall = Abstand zweier Töne voneinander
Intonation (lat.) = Einstimmung
L'istesso tempo = dasselbe Zeitmaß/Tempo
Kadenz = eine Folge von Akkorden, die eine Schlusswirkung erzielt. Grundform ist die Folge: Tonika-Subdominante-Dominante-Tonika
Kakophonie (griechisch) = Missklang
Kammerton a¹, 440 Hz (Hertz = Schwingungen pro Sekunde)
Kanon = mehrstimmiges Musikstück, bei dem die Stimmen nacheinander einsetzen und die gleiche Melodie vortragen
Kanon, Spiegel- = rückwärts und gleichzeitig vorwärts gespielter Kanon
Kantilene = gesangsmäßige Melodie
Klangfarbe = Klangcharakter eines Instrumentes, auch durch verschiedene Spielweisen erreichbar
Köchelverzeichnis (KV) = chronologisches Verzeichnis sämtlicher Werke W. A. Mozarts, benannt nach Ludwig, Ritter von Köchel (1800–1877)
Kolophonium = Harz zum Bestreichen der Bogenhaare
Komponieren (lat. componere – zusammenstellen) = ein musikalisches Kunstwerk schaffen
Konsonanz = Zusammenklang (Gegenteil: Dissonanz)
Konzertmeister = erster Geiger im Orchester
Larghetto (ital.) = etwas schneller als Largo
legato (ital.) = gebunden.
leggiero = leicht
lento = langsam
maestoso = majestätisch
marcato (ital.) = markiert, hervorgehoben, betont
meno (ital.) = weniger, langsamer
Mensur = die Länge der freischwingenden Saite (Steg – Sattel)
mezzoforte = halblaut
mezzopiano = halbleise
mezza voce (ital.) = mit halber Stimme
minore (ital.) = kleiner, Moll
maggiore = Dur
moderato = mäßig schnell
molto (ital.) = viel, sehr
molto Allegro = sehr schnell
Mordent = Verzierung; untere Nebennote wird kurz gespielt
morendo (ital.) = ersterbend, leise verhauchend
mosso (ital.) = bewegt, lebhaft
Nachschlag = Verzierung; dem Triller folgende Töne
non troppo = nicht zu viel, nicht zu sehr
Opus, op., Werk = Komposition
Partitur = alle Stimmen eines Stücks untereinander im Notensystem notiert
Pentatonik = fünfstufige Tonleiter ohne Halbtöne. z. B. die schwarzen Tasten auf dem Klavier: cis, dis, fis, gis, ais. Die pentatonische Tonleiter ist älter als unsere siebenstufige Tonleiter und war bei fast allen Naturvölkern bekannt. U. a. ist das chinesische Tonsystem pentatonisch
perdendosi = verschwinden
pesante = schwer, schwerfällig
Phrasierung = Einteilung eines Musikstückes in Abschnitte (= Phrasen), die selbst wieder aus Motiven bestehen. Mehrere Abschnitte bilden einen Satz. Phrasen werden oft durch Phrasierungsbögen gekennzeichnet
piano, *p* = leise
pianissimo, *pp* = sehr leise
più animato = belebter
più mosso = bewegter
Pizzicato, pizz. = zupfen, Gegenteil: arco – gestrichen
poco = ein wenig
poco a poco = nach und nach
portato = getragen.
Position = Lage
prestissimo = sehr schnell
presto = schnell
prima vista = vom Blatt spielen
Quintenzirkel = Anordnung sämtlicher Dur- und Molltonarten im Kreis, wobei die

Grundtöne jeweils eine Quinte voneinander entfernt sind

rallentando, rall. = allmählich langsamer werden

Recitativ = ein erzählender Gesang in einer Oper oder einem Oratorium

Refrain = Kehrreim mit gleicher Melodie

Reprise = Wiederholung des ersten Teiles am Ende eines Satzes in Sonatenhauptsatzform; die Reprise zeigt leichte Veränderung zum ersten Teil

ricochet = abprallend

rinforzando (ital.) = siehe sforzando, plötzliches Lauterwerden

ritardando, ritard., rit. = verzögern, langsamer werde

ritenuto (ital.) = zurückhalten

rubato (ital.) = nicht streng im Takt spielen

Ruvido (ital.) = rauh

saltato = springender Bogen

secco (ital.) = trocken

segno, 𝄋 = Zeichen am Beginn oder Ende einer Wiederholung

sempre (ital.) = immer

senza (ital.) = ohne, senza sordino = ohne Dämpfer.

sforzato *sf* (ital.) = mit Kraft, besondere Betonung

simile = auf gleiche Weise

smorzando (ital.) = ersterben, langsamer werden

soave (ital.) = süß, zart

Sonate = Komposition für ein Soloinstrument und Begleitung, 1–4 Sätze

Sonatine = meist leicht spielbare, kleine Sonate

sotto voce (ital.) = mit gedämpfter Stimme

spiccato (ital.) = deutlich abgesetzt, klar artikuliert

staccato (ital.) = kurz, getrennt gespielt

stimmen = intonieren eines Instrumentes nach dem Kammerton a^1

Stimmgabel = Stahlgabel, die durch Anschlagen den Kammerton a^1 angibt

Streichquartett = 4 Streicher: 2 Violinen, Viola und Violoncello

stringendo (ital.) = drückend, drängend, schneller werden

subito = plötzlich

sul ponticello (ital.) = bei Streichern: nahe dem Steg zu spielen

sul tasto (ital.) = für Streicher: nahe dem Griffbrett zu spielen

Symphonie = ein groß angelegtes Orchesterwerk in drei oder vier Sätzen

Synkope = Betonung einer unbetonten Zeit im Takt

tacet (lat.) = schweigen

tonal = auf einen Grundton (Harmonie und Melodie) bezogenes Musikstück / Gegensatz: atonal

Tonart = bezeichnet das tonale Zentrum eines Stückes

tranquillo (ital.) = ruhig

transponieren = in eine ander Tonart setzen

tremolo (ital.) = zittern, rasche Wiederholung von Tönen

Triller = Verzierung einer Hauptnote mit dem oberen Nebenton

Triole = drei Noten auf einer Zähleinheit

Tritonus = Intervall aus drei Ganztönen, auch *Diabolus in Musica* genannt

troppo (ital.) = zu viel, zu sehr; Allegro ma non troppo = schnell, aber nicht zu sehr

tutti (ital.) = alle Spieler, im Gegensatz: Solo = einer allein

unisono = mehrere Stimmen spielen in derselbe Tonhöhe zusammen (Einklang)

volta (ital.) = 1. prima volta, das erste Mal; 2. seconda volta, das zweite Mal

Verzierungen = Ausschmückung der Melodie

Vibrato = einen Ton in Schwingungen bringen

voce (ital.) = Stimme

Stichwortverzeichnis

Urkunde

Name der Schülerin / des Schülers

hat

Spielend Theorie lernen

für Violine

mit Erfolg abgeschlossen.

Ort, Datum

Unterschrift der Lehrerin / des Lehrers